MW01075510

Zu diesem Buch

Diese «lyrischen Stenogramme» aus der Welt des Acht-Stunden-Alltags, der melancholischen «Möblierten»-Existenz, der jungen Liebenden unserer Tage – kurz, aus der Welt all derer, die das gleiche Leid bedrückt: die Großstadt dieses 20. Jahrhunderts – haben nichts von ihrem Zauber verloren. Den vielen Lesern, die sich beim ersten Erscheinen der hier zusammengefaßten Gedichtbände «Das lyrische Stenogrammheft» (1933) und «Kleines Lesebuch für Große» (1934) für diesen «weiblichen Ringelnatz» – wie die Dichterin einmal genannt wurde – begeisterten, werden sich heute viele neue Freunde hinzugesellen, die das Zeitgedicht bester Heinescher Tradition lieben, aber auch solche, die sonst schon bei dem Wort «Lyrik» schläfrige Augen bekommen.

Die Lyrikerin Mascha Kaléko wurde als Tochter eines russischen Vaters und einer österreichischen Mutter 1912 in Polen geboren. Nach Schul- und Studienjahren in Berlin wurde sie 1930 von Monty Jacobs, einem der Pioniere des deutschen Feuilletons, für die «Vossische Zeitung» entdeckt. Hier und im «Berliner Tageblatt» erschienen jahrelang ihre Gedichte, die sie rasch zu einer literarischen Berühmtheit der alten Reichshauptstadt und über ihre Grenzen hinaus bekannt machten. Hermann Hesse, Thomas Mann, Alfred Polgar rühmten die Verse dieser jungen Großstadtdichterin, die Erich Kästners wachen Sarkasmus besaß, ihn aber in zärtlich-weibliche Rhythmen kleidete, in Strophen, die ihren Charme einer eigentümlichen Mischung von Melancholie und Witz, Aktualität und Musik, romantischer Ironie und politischer Schärfe verdankten.

Seit 1938 lebte die Dichterin als amerikanische Staatsbürgerin in New York mit ihrem Gatten, dem Dirigenten und Komponisten Chemjo Vinaver, und ihrem Sohn Steven, der als Student der Literatur bereits mit mehreren Lyrikpreisen der USA ausgezeichnet wurde. Mascha Kaléko starb am 21. Januar 1975 in Zürich.

Von Mascha Kaléko erschienen außerdem: «Verse für Zeitgenossen» (rororo Nr. 4659; auch als Großdruck-Ausgabe Nr. 33111) und «Der Stern, auf dem wir leben» (Rowohlt 1984).

Mascha Kaléko

Das lyrische Stenogrammheft

Kleines Lesebuch für Große

Rowohlt

178.–180. Tausend Januar 1998

Veröffentlicht im Rowohlt Taschenbuch Verlag GmbH,
Hamburg, Februar 1956

Umschlaggestaltung Walter Hellmann
Satz Aldus (Linotron 505 C)
Gesamtherstellung Clausen & Bosse, Leck
Printed in Germany
990-ISBN 3 499 11784 3

Das lyrische Stenogrammheft

Dem ‹Heiligen Franziskus›

vom Rowohlt Verlag anno dazumal

Dies Versbuch, lang vergriffen und verboten,
Widme ich dem Gedächtnis eines Toten –
Franz Hessel, Dichter, Heiliger und Lektor,
Mein Schutzpatron und lyrischer Protektor,
Der milde tadelnd, und mit strengem Lob
Das ‹Stenogrammheft› aus der Taufe hob.

Er ruht voll Sanftmut und Melancholie
In Frankreichs Erde, nah bei Sanary,
Und redigiert im Schatten edler Palmen
Fürs Paradies die allerneusten Psalmen.
– Und wenn sein ferner Blick sich erdwärts neigt,
Dann lächelt er geheimnisvoll, und schweigt . . .

Im Februar 1956

Mascha Kaléko

VON MONTAG FRÜH BIS WOCHENEND

Interview mit mir selbst

Ich bin vor nicht zu langer Zeit geboren
In einer kleinen, klatschbeflissenen Stadt,
Die eine Kirche, zwei bis drei Doktoren
Und eine große Irrenanstalt hat.

Mein meistgesprochenes Wort als Kind war ‹nein›.
Ich war kein einwandfreies Mutterglück.
Und denke ich an jene Zeit zurück:
Ich möchte nicht mein Kind gewesen sein.

Im letzten Weltkrieg kam ich in die achte
Gemeindeschule zu Herrn Rektor May.
– Ich war schon zwölf, als ich noch immer dachte,
Daß, wenn die Kriege aus sind, Frieden sei.

Zwei Oberlehrer fanden mich begabt,
Weshalb sie mich – zwecks Bildung – bald entfernten;
Doch was wir auf der hohen Schule lernten,
Ein Wort wie ‹Abbau› haben wir nicht gehabt.

Beim Abgang sprach der Lehrer von den Nöten
Der Jugend und vom ethischen Niveau –
Es hieß, wir sollten jetzt ins Leben treten.
Ich aber leider trat nur ins Büro.

Acht Stunden bin ich dienstlich angestellt
Und tue eine schlechtbezahlte Pflicht.
Am Abend schreib ich manchmal ein Gedicht.
(Mein Vater meint, das habe noch gefehlt.)

Bei schönem Wetter reise ich ein Stück
Per Bleistift auf der bunten Länderkarte.
– An stillen Regentagen aber warte
Ich manchmal auf das sogenannte Glück . . .

Chanson vom Montag

Montag hat die Welt noch kein Gesicht,
Und kein Mensch kann ihr ins Auge sehen.
Montag heißt: Schon wieder früh aufstehen,
Training für das Wochen-Schwergewicht.

Und die Bahnen brausen, das Auto kläfft,
Die Arbeit marschiert in den Städten.
Alle Straßen hallen wider von Betrieb und von Geschäft,
Und die Riesensummen wachsen in ein unsichtbares Heft,
– Doch nie in das Heft des Proleten.

Schlagerlied vom Sonntag noch im Ohr,
Denkt man ungern an Bürogehälter.
– Montag hat ein kleiner Angestellter
Mittags Krach und abends gar nichts vor.

Nur der Motor rasselt, der Hammer dröhnt.
Der Werktag kutschiert ohne Pause.
Theater locken. Der Luxus höhnt,
Doch man ist ja längst an Verzichten gewöhnt.
– Wer kein Geld hat, bleibt brav zu Hause.

Montags gähnt sogar das Portemonnaie,
Und es reicht noch grad für die Kantine.
Spät nach Ladenschluß geht man mit Duldermiene
Resigniert vorbei am Stammcafé.

Und die Stunden laufen, der Tag verweht,
Müde hockt man in seinen vier Wänden.
Und dann kommt man ins Denken – wie das so geht . . .
Man findet die Zeiten ein bißchen verdreht,
Und man fragt sich: wie wird das wohl enden?

Montag ist das Stiefkind des Kalenders,
Düsterer Woche grauer Korridor,
Höchster Mißklang in der Tage Chor,
Strengster Ruhetag des Freudespenders.

Mannequins

Inserat:
‹Mannequin 42er Figur, leichte, angenehme Arbeit, gesucht . . .›

Nur lächeln und schmeicheln den endlosen Tag . . .
Das macht schon müde.
– Was man uns immer versprechen mag:
Wir bleiben solide.
Wir prunken in Seide vom ‹dernier cri›
Und wissen: gehören wird sie uns nie.
Das bleibt uns verschlossen.
Wir tragen die Fähnchen der ‹Inventur›
Und sagen zu Dämchen mit Speckfigur:
‹Gnäfrau, . . . wie angegossen!›

Wir leben am Tage von Stullen und Tee.
Denn das ist billig.
Manch einer spendiert uns ein feines Souper,
. . . Ist man nur willig.
Was nützt schon der Fummel aus Crêpe Satin –
Du bleibst, was du bist: Nur ein Mannequin.
Da gibts nichts zu lachen.
Wir rechnen, obs Geld noch bis Ultimo langt,
Und müssen trotzdem, weils die Kundschaft verlangt,
Das sorglose Püppchen machen.

Die Beine, die sind uns Betriebskapital
Und Referenzen.
Gehalt: so *hoch* wie die Hüfte *schmal.*
Logische Konsequenzen . . .
Bedingung: stets vollschlank, diskret und – lieb.
(Denn das ist der Firma Geschäftsprinzip.)
Und wird mal ein Wort nicht gewogen,
Dann sei nicht gleich prüde und schrei nicht gleich ‹Nee!›
Das gehört doch nun mal zum Geschäftsrenommée
Und ist im Gehalt einbezogen.

Abschied

Jetzt bist du fort. Dein Zug ging neun Uhr sieben.
Ich hielt dich nicht zurück. Nun tut's mir leid.
– Von dir ist weiter nichts zurückgeblieben
Als ein paar Fotos und die Einsamkeit.

Noch hör ich leis von fern den D-Zug pfeifen.
In ein paar Stunden hält er in Polzin.
Mich ließest du allein in Groß-Berlin,
Nun werde ich durch laute Straßen streifen

Und mißvergnügt in mein Möbliertes gehen,
Das mir für dreißig Mark Zuhause ist,
Und warten, daß ein Brief von dir mich grüßt,
Und abends manchmal nach der Türe sehen.

. . . Ich kenn das schon. Und weiß, es wird mir fehlen,
Daß du um sechs nicht vor dem Bahnhof bist.
– Wem soll ich, was am Tag geschehen ist,
Und von dem Ärger im Büro erzählen?

Jetzt, da du fort bist, scheint mir alles trübe.
Hätt ichs geahnt, ich ließe dich nicht gehn.
Was wir vermissen, scheint uns immer schön.
Woran das liegen mag . . . Ist das nun Liebe?

Das regnet heut! Man glaubt beinah zu spüren,
Wies Thermometer mit der Stimmung fällt.
Frau Meilich hat die Heizung abgestellt,
Und irgendwo im Hause klappern Türen.

Jetzt sitz ich ohne dich in meinem Zimmer
Und trink den dünnen Kaffee ganz allein.
– Ich weiß, das wird jetzt manches Mal so sein.
Sehr oft vielleicht . . . Beziehungsweise: immer.

Wenn man nachts nicht schlafen kann . . .

Wenn man nachts nicht schlafen kann,
Hört man von den schiefergrauen
Dächern junge Katzen miauen,
Und das hört sich schaurig an.

Brave Menschen – heißt es – beten,
Dann schickt ihnen Gott den Schlaf.
– Doch man selbst ist niemals brav . . .
Schlaflos starrt man auf Tapeten,

Zählt die Muster Stück für Stück.
Plötzlich hört man draußen Schritte,
Und vom Ausgang kehrt Brigitte
Wieder mal zu spät zurück.

Von der Straße tönt Gesang:
Durch die mondbeglänzte Stille
Wankt ein Mann aus der Destille,
Glücklich, weil er sich betrank.

Leise bellt ein Hund im Traum,
Und im Hausflur blüht die Liebe. –
Still zur Arbeit ziehen Diebe,
Ihre Schlüssel hört man kaum . . .

Endlos lang dehnt sich die Nacht.
Eine Uhr schlägt Stund' um Stunde.
Wächter machen ihre Runde,
Und man zählt bis tausendacht . . .

Gähnend schleicht der Tag sich ein.
Autos rasseln schon und Wagen. –
Fröstelnd, nachtdurchwacht, zerschlagen,
Dämmert man am Morgen ein.

Krankgeschrieben

Man liegt im Bett mit einer Halskompresse,
Erschöpft und blaß ist man heraufgeschwankt.
Man ist des ganzen Hauses Interesse,
Und jemand sorgt, daß man das Fieber messe.
Man fehlt heut im Büro. – Man ist ‹erkrankt›.

Man fühlt sich wohl auf weichen, weißen Kissen.
– Von Zeit zu Zeit tut irgendwo was weh –.
Und diese Schmerzen streicheln das Gewissen,
Heut einmal seine Pflicht nicht tun zu müssen.
. . . Dies sühnt man außerdem mit Fliedertee.

Man sieht die Möbel an und die Gardinen.
– Man kennt sein Zimmer nur vom Abend her –.
Am Tage, wenn es hell und lichtbeschienen,
Da ist man irgendwo, um zu verdienen.
Und abends gibt es keine Sonne mehr.

Durchs Fenster dringen Stimmen von Passanten
Und der Vormittagslärm von Groß-Berlin.
Man wird besucht von Freunden und Bekannten.
Zweimal am Tage kommen die Verwandten
Und dreimal täglich kommt die Medizin . . .

So gegen elf hört man die Bolle-Glocken,
Zuweilen läutet's an der Eingangstür.
Ein Reisender empfiehlt uns Mako-Socken.
Vom Hof her klingt des Scherenschleifers Locken
Und auch der Leiermann ist wieder hier.

Man liegt im Bett. Und draußen ‹pulst das Leben›
– Wie es so herrlich in Romanen heißt.
Man hat sich diesem Zwange gern ergeben
Und wird gesund mit leisem Widerstreben,
Als wär man in die Kindheit heimgereist . . .

Heimwärts nach Ladenschluß

Wenn es abends sieben schlägt,
Strömen aus den tausend Toren matte, blasse Großstadtmenschen
Alltagssorgen in den Augen, Mappen in der müden Hand,
Angeln aus zerdrückten Taschen rasch die Stadtbahn-Monatskarten,
Werfen einen kurzen Blick in den Automatenspiegel
(Manchmal auch noch einen Groschen, der gebrannten Mandeln gilt –),
Stehlen an dem Zeitungsständer fettgedruckte Überschriften
Aus dem letzten Abendblatt . . .

Fauchend – wie ein Wüstenwind aus den Südsee-Kitschromanen –
Rollt die Stadtbahnschlange an.
Naßkalt ist die Luft im Wagen, und es riecht nach Warteraum.
– Seltsam nicken müde Männer aus dem Fünf-Minuten-Schlaf,
Blicken schreckhaft hin zum Fenster, träumend von der Endstation.
– Selig eng in einer Ecke lehnt ein blondes Liebespaar,
Brocken mancher Fahrtgespräche schaukeln ab und zu ins Ohr . . .
– Eine Kümmelstange kauend, übt ein magrer Gymnasiast
Rasch noch ein paar neue Verben für den Abendunterricht.
. . . Ruckweis alle paar Minuten hält der Zug geduldig an,
Ein paar Menschen zu entlassen.
Neue müde Augenpaare fischen schnell noch einen Platz.

Weiter geht's auf Silberschienen mitten durch den Großstadtleib.
Winterdunkel legt sich frierend über kahle Mietkasernen,
Schattenhaft und längst entblättert tanzt am Park ein Baum vorbei . . .
Eine Schnur von Bogenlampen flackert über Straßen auf,
Und es wachsen helle Inseln bunter, wilder Lichtreklame
Aus dem öden Häusermeer – – –
– Straßenhändler schieben langsam schmieriggraue Karren heimwärts.

Auf den schwarzen Brettertafeln ist die Kreide halb verwischt.
(Wenn man mit dem warmen Atem an die blinde Scheibe haucht,
Kann man alles deutlich sehen, wenn es abends sieben schlägt . . .)

Wenn es abends sieben schlägt,
Warten in den Großstadthäusern viele Kinder auf die Eltern,
Viele Eltern auf ihr Kind.
Kinder horchen hin zur Türe, Mütter sehen auf die Uhr. –
Aus den Küchenfensterspalten riecht's nach aufgewärmtem
  Essen,
Dringt das Klappern von Geschirr.
– Endlich kreischt im Flur die Klingel,
Klirren Schlüssel an der Tür . . .

Gewissermaßen ein Herbstgedicht

Seit zehn Uhr morgens blick ich still zur Türe.
Nun ging der Geldbriefträger auch vorbei.
Ein Pfandschein und ein Fahrscheinheft vom Mai
Sind meine wertbeständigen Papiere.

Der Hauswirt wird allmählich ungeduldig
Und meine Winterjacke leicht defekt.
Der Waschfrau bin ich schon acht siebzig schuldig
Und sie mir den gebührlichen Respekt . . .

Der Sommer ist schon lange fortgezogen.
Und selbst die Zimmerlinde ging mir ein.
Auch mit dem Goldfisch hat man mich betrogen.
Jetzt stehe ich am Fenster ganz allein.

Das Fräulein vis-à-vis klopft die Matratzen.
Ein Bettler singt. Nicht schön, doch ziemlich laut.
Vor meinem Fenster zanken sich zwei Spatzen.
Erst warens sechs. Doch vier sind abgebaut.

Ich könnte, wenn ich könnte, manches sagen,
Doch Armut ist der Güter höchstes nicht:
Bei leergebranntem Herd und dito Magen
Schreibt man nicht mal ein lyrisches Gedicht.

– Im Kino bin ich lange nicht gewesen.
Und Bücher kaufen ziemt dem reichen Mann.
Ich darf noch höchstens eigne Werke lesen.
Was man wohl kaum Vergnügen nennen kann.

Es soll ja irgendwo noch Leute geben,
Die im Expreßzug nach dem Süden reisen.
– Mein Schicksal rollt auf toten Nebengleisen
Und Zugverspätung hat dies bißchen Leben . . .

Zeitgemäßer Liebesbrief

Liebe Elli! – Mal muß mans gestehen.
Und es ist auch schließlich besser so.
– Gestern war mein letzter Ultimo,
Und ab Dienstag darf ich stempeln gehen.

Abgangszeugnis. Sanft ruht die Karriere . . .
Letzter Akt. Der Eisenvorhang fällt,
Denn mein Chef hat statt der Sekretäre
Lediglich die Zahlung eingestellt.

Der Beamte auf dem Nachweis meinte,
Daß ich tot fürs Wirtschaftsleben wär.
– Aktenzeichen: C – Die Mutter weinte.
Und du findest Armut ordinär . . .

Du bist schön. Du tanzt gern in Lokalen.
Du paßt in keine Not-Zeit-Ehe 'rein!
– Der Mensch lebt nicht vom Honigmond allein,
Er muß auch ab und zu mal Schulden zahlen.

. . . Sogar das Faltboot mußte ich verpfänden,
Weil mich nur Bargeld über Wasser hält.
Ich sende dir mein Herz zu treuen Händen,
Sonst hab ich nichts à conto dieser Welt.

– Ein Jahr nur noch: ich wäre was geworden.
Ich hatte mir die Zukunft schön gedacht.
Was bin ich jetzt? – Ein Mönch im Stempler-Orden.
– Nun komm ich niemals mehr nach Gruppe acht . . .

Randbemerkungen eines Liftboys

Das stößt hier und drängelt so ohne Manieren.
– Von wegen ‹gebildet› und ‹besseres Haus›!
Die Gnädje im Fehpelz, die sollt' sich genieren.
Sie denkt: Nur ein Liftboy – was macht das schon aus . . .
– Hätt ich zu bestimmen, ich wüßt, was ich täte!

‹*Erster*: Porzellanwaren und Wirtschaftsgeräte . . .!›

. . . Mitunter da denk ich, das menschliche Leben
Ist oft wie so'n Fahrstuhl im Warenhaus:
– Wer Geld hat, kann rauf bis zum Dachgarten schweben,
Wer keins hat, muß meist schon im Zwischenstock raus.
Und immer heißts ‹Abwärts!› nach einigen Jahren . . .

‹*Zweiter*: Gardinen und Einrichtungswaren . . .!›

Wenn ich erst mal Geld hab, dann werdet Ihr staunen:
Da pfeif ich auf meine geputzte Livrée!
Beschwerde gefällig? Abteilung für Launen.
– Ich sage so kühl wie ein Kunde: ‹Ich geh›.
. . . Nur Elli vom Lichthof –. Doch noch ists ein Traum . . .

‹*Dritter*: Frisier- und Erfrischungsraum!›

Ein kleiner Mann stirbt

Wenn einer stirbt, dann weinen die Verwandten;
Der Chef schickt einen Ehrenkranz ins Haus,
Und voller Lob sind die, die ihn verkannten.
. . . Wenn einer tot ist, macht er sich nichts draus.

Wenn einer stirbt – und er ist kein Minister –
Schreibt das Vereinsorgan kurz: ‹Er verblich . . .›
Im Standesamt, Ressort: Geburtsregister
Macht ein Beamter einen dicken Strich.

Ein Kleiderhändler fragt nach alten Hüten,
Offerten schickt ein Trauermagazin.
Am Fenster steht: ‹Ein Zimmer zu vermieten . . .›
Und auf dem Tisch die letzte Medizin.

Wenn einer stirbt, scheint denen, die ihn lieben,
Es könne nichts so einfach weitergehn.
Doch sie sind auch nur ‹trauernd hinterblieben›,
Und alles läuft, wie es ihm vorgeschrieben.
– Und nicht einmal die Uhren bleiben stehn . . .

Großstadtliebe

Man lernt sich irgendwo ganz flüchtig kennen
Und gibt sich irgendwann ein Rendezvous.
Ein Irgendwas, – 's ist nicht genau zu nennen –
Verführt dazu, sich gar nicht mehr zu trennen.
Beim zweiten Himbeereis sagt man sich ‹du›.

Man hat sich lieb und ahnt im Grau der Tage
Das Leuchten froher Abendstunden schon.
Man teilt die Alltagssorgen und die Plage,
Man teilt die Freuden der Gehaltszulage,
. . . Das übrige besorgt das Telephon.

Man trifft sich im Gewühl der Großstadtstraßen.
Zu Hause geht es nicht. Man wohnt möbliert.
– Durch das Gewirr von Lärm und Autorasen,
– Vorbei am Klatsch der Tanten und der Basen
Geht man zu zweien still und unberührt.

Man küßt sich dann und wann auf stillen Bänken,
– Beziehungsweise auf dem Paddelboot.
Erotik muß auf Sonntag sich beschränken.
. . . Wer denkt daran, an später noch zu denken?
Man spricht konkret und wird nur selten rot.

Man schenkt sich keine Rosen und Narzissen,
Und schickt auch keinen Pagen sich ins Haus.
– Hat man genug von Weekendfahrt und Küssen,
Läßt mans einander durch die Reichspost wissen
Per Stenographenschrift ein Wörtchen: ‹aus›!

Spät nachts

Jetzt ruhn auch schon die letzten Großstadthäuser.
Im Tanzpalast ist die Musik verstummt
Bis auf den Boy, der einen Schlager summt.
Und hinter Schenkentüren wird es leiser.

Es schläft der Lärm der Autos und Maschinen,
Und blasse Kinder träumen still vom Glück.
Ein Ehepaar kehrt stumm vom Fest zurück,
Die dürren Schatten zittern auf Gardinen.

Ein Omnibus durchrattert tote Straßen.
Auf kalter Parkbank schnarcht ein Vagabund.
Durch dunkle Tore irrt ein fremder Hund
Und weint um Menschen, die ihn blind vergaßen.

In schwarzen Fetzen hängt die Nacht zerrissen,
Und wer ein Bett hat, ging schon längst zur Ruh.
Jetzt fallen selbst dem Mond die Augen zu . . .
Nur Kranke stöhnen wach in ihren Kissen.

Es ist so still, als könnte nichts geschehen.
Jetzt schweigt des Tages Lied vom Kampf ums Brot.
– Nur irgendwo geht einer in den Tod.
Und morgen wird es in der Zeitung stehen . . .

Kinder reicher Leute

Sie wissen nichts von Schmutz und Wohnungsnot,
Von Stempelngehn und Armeleuteküchen.
Sie ahnen nichts von Hinterhausgerüchen,
Von Hungerlöhnen und von Trockenbrot.

Sie wohnen meist im herrschaftlichen Haus,
Zuweilen auch in eleganten Villen.
Sie kommen nie in Kneipen und Destillen,
Und gehen stets nur mit dem Fräulein aus.

Sie rechnen sich schon jetzt zur Hautevolée
Und zählen Armut zu den größten Sünden.
– Nicht mal ein Auto . . . ? Nein, wie sie das finden!
Ihr Hochmut wächst mit Pappis Portemonnaie.

Sie kommen meist mit Abitur zur Welt,
– Zumindest aber schon mit Referenzen –
Und ziehn daraus die letzten Konsequenzen:
Wir sind die Herren, denn unser ist das Geld.

Mit vierzehn finden sie, der Armen Los
Sei zwar nicht gut. Doch werde übertrieben – –.
Mit vierzehn schon! – Wenn sie noch vierzehn blieben.
Jedoch die Kinder werden einmal groß . . .

Meditation eines Hof-Sängers

Wir hatten mal einen Salon, ein Klavier und seidene Sofaschoner.
. . . Eigentlich bin ich aus besserem Haus.
Nun aber leb ich vom Fensterapplaus
Der Küchenmädchen und von den Groschen der Hausbewohner.

Ich hab einen Frack und eine sichere Stellung gehabt
Bei einer Großbank. Die ist längst verkracht.
Ich hab beinah mein Abitur gemacht.
Doch grad für Singen war ich nicht begabt.

Ich bin nie auf fremde Höfe gegangen.
Das hätte meine Mutter niemals erlaubt.
Auch nicht, daß ich einsam, vergessen, verstaubt
Berufstätig bin zwischen Mülleimern und Teppichstangen.

. . . Das war die erste Station: Vertreter-Treppensteigen.
Fremde klappten mit Türen. Freunde dankten diskret.
Die wissen ja alle nicht, wie's ist, wenn man da steht,
Allein im Hof. Und alle Fenster schweigen.

Der Weg zurück, hinauf, wird täglich schwerer.
Mich hat das Schicksal dankend abgelehnt.
Die Zuversicht ist ein Charakterfehler,
Den man sich klug beizeiten abgewöhnt.

. . . Manchmal hab ich solche Sehnsucht nach früher.
– Man kann sich doch nicht mit dreißig begraben.
Man müßte wieder einmal einen Posten haben,
Ein festes Mädchen und einen wollenen Überzieher . . .

Angebrochener Abend

Ich sitz in meinem Stammcafé
Es ist schon spät. Ich gähne ...
Ich habe Sehnsucht nach René
Und außerdem Migräne.

Der große Blonde an der Bar
Schickt einen Brief. – Beim Lesen
Denk ich: Zu spät. Vor einem Jahr
Wär der mein Typ gewesen.

Die Drehtür surrt und importiert
Ein Dutzend Literaten.
– Ein Lyriker ruft ungeniert:
‹... Das Schnitzel scharf gebraten!›

Der Ober blickt impertinent,
Kassiert zwei Weingedecke.
Hierauf verschwindet sehr dezent
Ein Pärchen aus der Ecke.

Der Talmi-Herr sprach sehr gewählt.
Die Talmi-Dame nippte.
... Die beiden geben – knapp gezählt –
Zwei Folio-Manuskripte.

Vom Ping-Pong-Tisch grüßt ein Tenor.
Ich kann den Kerl nicht sehen!
Und nehme mir wie immer vor,
Nie wieder herzugehen.

Ein Sportgirl zwitschert von Davos.
Ich seufze mit Begründung:
Ich habe nur ein Achtellos
Und eine Halsentzündung.

Jetzt macht die Jazzkapelle Schluß.
Der Asphalt glänzt vom Regen.
– Ich nehme einen Omnibus
Und fahr dem Schlaf entgegen ...

Langschläfers Morgenlied

Der Wecker surrt. Das alberne Geknatter
Reißt mir das schönste Stück des Traums entzwei.
Ein fleißig Radio übt schon sein Geschnatter.
Pitt äußert, daß es Zeit zum Aufstehn sei.

Mir ist vor Frühaufstehern immer bange.
. . . Das können keine wackern Männer sein:
Ein guter Mensch schläft meistens gern und lange.
– Ich bild mir diesbezüglich etwas ein . . .

Das mit der goldgeschmückten Morgenstunde
Hat sicher nur das Lesebuch erdacht.
Ich ruhe sanft. – Aus einem kühlen Grunde:
Ich hab mir niemals was aus Gold gemacht.

Der Wecker surrt. Pitt malt in düstern Sätzen
Der Faulheit Wirkung auf den Lebenslauf.
Durchs Fenster hört man schon die Autos hetzen.
– Ein warmes Bett ist nicht zu unterschätzen.
. . . Und dennoch steht man alle Morgen auf.

Kassen-Patienten

Sie brüten stumpf auf Wartezimmerbänken,
Ein jeder mit dem Leiden, das ihn quält.
Sie hoffen nicht. Sie sagen, was sie denken:
‹Der kann mir keene neue Lunge schenken.
Det weeß keen Doktor, wat uns richtich fehlt . . .›

Die Bilder an der Wand verströmen Grauen.
– Man fragt sich manchmal selber: Muß das sein,
Daß Kranke immer wieder Kranke schauen
Und sich an Wartezimmer-Kunst erbauen
Wie ‹Toteninsel› oder ‹Totenhain› . . .?

Sie blättern stumm in welken ‹Illustrierten›
Und tauschen ihre Arzt-Erfahrung aus.
‹. . . Der schickte mich zum dritten und zum vierten,
Bis sie mich dann am Blinddarm operierten.
– Das mit der Niere kam erst später raus.›

Die Glocke schrillt. Am Fenster kreist ein Brummer.
Der mit dem Gipsverband riecht nach Karbol.
Sie schleppen alle an dem gleichen Kummer.
Und fühln sich alle gleich als bloße Nummer.
Und ihre Stirnen tragen *ein* Symbol.

Der Arzt, in weißem Kittel, goldner Brille,
Befühlt den Puls und zuckt die Schultern dann.
‹Tja, lieber Freund, das ist nicht unser Wille.›
Ruft: ‹Ziehn sich an!› Verschreibt noch eine Pille.
‹Hier ist Ihr Schein. Der Nächste!› – Wer ist dran?

Der nächste Morgen

Wir wachten auf. Die Sonne schien nur spärlich
Durch schmale Ritzen grauer Jalousien.
Du gähntest tief. Und ich gestehe ehrlich:
Es klang nicht schön. – Mir schien es jetzt erklärlich,
Daß Eheleute nicht in Liebe glühn.

Ich lag im Bett. Du blicktest in den Spiegel,
Vertieftest ins Rasieren dich diskret.
Du griffst nach Bürste und Pomadentiegel.
Ich sah dich schweigend an. Du trugst das Siegel
Des Ehemanns, wie er im Buche steht.

Wie plötzlich mich so viele Dinge störten!
– Das Zimmer, du, der halbverwelkte Strauß,
Die Gläser, die wir gestern abend leerten,
Die Reste des Kompotts, das wir verzehrten.
. . . Das alles sieht am Morgen anders aus.

Beim Frühstück schwiegst du. (Widmend dich den Schrippen.)
– Das ist hygienisch, aber nicht sehr schön.
Ich sah das Fruchtgelée auf deinen Lippen
Und sah dich Butterbrot in Kaffee stippen –
Und sowas kann ich auf den Tod nicht sehn!

Ich zog mich an. Du prüftest meine Beine.
Es roch nach längst getrunkenem Kaffee.
Ich ging zur Tür. Mein Dienst begann um neune.
Mir ahnte viel –. Doch sagt ich nur das Eine:
‹Nun ist es aber höchste Zeit! Ich geh . . .›

Zwischen Frühstückspause und amerikanischem Journal

Zwischen Frühstückspause und amerikanischem Journal
Denke ich außerdienstlich an dich
Und an das letzte Mal.

– Lieb ich dich eigentlich?
Sicher ist diese Frage banal.
Aber zwischen Frühstückspause und amerikanischem Journal

Fällt einem inbetreff ‹Liebe› Komisches ein,
Wenn man allein
Mit der Schreibmaschine und dem Hausapparat acht
Sich Gedanken privaten Charakters macht.

Zwischen U-Bahn-Knattern und acht Stunden Büro,
Zwischen Thermosflasche und Chef-Zigaretten
Denke ich außerdienstlich an dich.

. . . Wenn wir sonntags ausnahmsweise mal keinen Regen
hätten!
Ich nähme das Blaue. Das kleidet mich.
Und dann wie immer um acht am Zoo.

Zwischen U-Bahn-Knattern und acht Stunden Büro
Stimmt mich das wieder mal froh.

Zwischen Kassaskonto und Vermittlungsprozenten
Denke ich nebenbei mal privat.
Wenn wir die Anderthalbzimmer uns leisten könnten!
Anderthalb bloß. Mit Bad.

– Aber es gibt ja so viel Expedienten
Und so wenig Stellen beim Magistrat . . .

Einem Kinde im Dunkeln

(Für Puttel)

Gib mir deine kleine Hand.
So, nun bist du nicht allein.
Kind, du sollst nicht einsam sein
Mit dem Schatten an der Wand.

Fällt der Abend auf die Welt,
Kühlt die Sonne langsam aus.
Schläft die Wolke hinterm Haus,
Nicken Blümlein auf dem Feld.

Sternlein glimmen langsam schon,
Wind nach unserm Fenster zielt.
Und der Abendengel spielt
Mit dem blassen Mondballon.

Leise, leise rauscht der Baum . . .
Bäumlein sinkt. Nun ruhst du brav.
Segne dich ein guter Schlaf,
Segne dich ein schöner Traum!

Quasi ein Mahnbrief

Verehrter Herr! Jetzt wird's zu monoton.
Am letzten Sonntag waren es zwei Wochen:
Kein Brief, kein Gruß, kein Wort am Telefon . . .
– Was hab ich denn so Furchtbares verbrochen?

Wir sprachen, wie das so im Leben sei,
Und ob es mit uns beiden wohl so bliebe.
Ich sagte nur: ich glaube nicht an Liebe.
. . . Und das im Mai.

Da zupften Sie an Ihrem Schlips und Kragen.
(Das tun Sie immer, wenn Sie was erregt.)
Dann wollten Sie zuerst noch etwas sagen.
Das haben Sie sich rasch noch überlegt.

Und mittendrin, beim schönsten Wortgefecht,
Da ließen Sie mich ohne Antwort stehen
Und sich bis heute überhaupt nicht sehen.
. . . Und das mit Recht.

Nachschrift:

Jetzt warte ich auf Dich seit vierzehn Tagen.
Und vierundzwanzig Stunden hat der Tag.
– Du weißt doch ganz genau, daß ich Dich mag.
Was mußt Du nur so dumme Dinge fragen.

Es ist so schön zu wissen, daß Du da bist.
Kann ich denn sagen, wie es später wird.
Weißt Du, ob sich Dein Herz nicht doch verirrt?
– Noch ist es schön zu fühlen, daß Du nah bist.

. . . Soviel nur noch zum Thema ‹Lebensglück›.
Willst Du verstehn, ist alles wie gewesen.
– Sonst aber, – selbst, wenn Du ihn nicht gelesen,
Erbitte ich den Hamsun bald zurück.

Julinacht an der Gedächtniskirche

Die Dächer glühn als lägen sie im Fieber.
Es schlägt der vielgerühmte Puls der Stadt.
Grell sticht Fassadenlicht. Und hoch darüber
Erscheint der Vollmond schlechtrasiert und matt.

Ein Kinoliebling lächelt auf Reklamen
Nach Chlorodont und sieht hygienisch aus.
Ein paar sehr heftig retuschierte Damen
Blühn bunt am Hauptportal vorm Lichtspielhaus.

Laut glitzern Fenster auf der Tauentzien.
Man kann sich herrlich ziellos treiben lassen.
Da protzen Cafés mit dem bißchen Grün
Und geben sich nebst Efeu als ‹Terrassen›.

Zuweilen weht ein kleiner Schlager hin.
Gehorsam wippt es unter allen Bänken.
– Ein altes Fräulein senkt das welke Kinn
Und muß an längstvergangne Liebe denken.

Wie seltsam, daß jetzt fern noch Dörfer sind,
In denen längst die letzte Uhr geschlagen,
Da noch zu lauten, nutzlos langen Tagen
Uns selbst die schönste Sommernacht gerinnt . . .

Sehnsucht nach einer kleinen Stadt

. . . Jetzt müßte man in einer Kleinstadt sein
Mit einem alten Marktplatz in der Mitte,
Wo selbst das Echo nächtlich leiser Schritte
Weithin streut jeder hohle Pflasterstein,

Wo vor dem Rathaus rostge Brunnen stehen
In einem toten, längst vergessnen Stil,
Wo selbst aus Erz die Statuen mit Gefühl
Des Abends Liebespaare wandeln sehen,

Wo alte Höfe unentdeckt noch träumen,
Als wären sie von einer andern Welt,
Nur ab und zu ein Dackel leise bellt,
Und blonde Kinder spielen unter Bäumen.

Da blühn Geranien, Tulpen und Narzissen
Vor Fenstern winzig wie im Puppenhaus.
Zum ziegelroten Giebeldach heraus
Hängt buntkariert ein bäurisch Federkissen.

Hier haben alle Menschen immer Zeit,
Als machte das Jahrhundert eine Pause.
Hier sitzt man noch auf Bänken vor dem Hause.
– Und etwas abseits gibt's noch Einsamkeit.

Nichts stört die klare Stille in der Nacht.
Wie unbegreiflich nah sind hier die Sterne . . .
Gespenstergleich verlischt die Gaslaterne,
Wenn familiär der Mond herunterlacht.

Da scheint uns – fern von allem – vieles glatt,
Was man zuvor mit anderm Maß gemessen.
Man könnte wohl so mancherlei vergessen
In einer solchen braven kleinen Stadt . . .

ROTE ZAHLEN IM KALENDER

Sonntagmorgen

Die Straßen gähnen müde und verschlafen.
Wie ein Museum stumm ruht die Fabrik.
Ein Schupo träumt von einem Paragraphen,
Und irgendwo macht irgendwer Musik.

Die Stadtbahn fährt, als tät sie's zum Vergnügen,
Und man fliegt aus, durch Wanderkluft verschönt.
Man tut, als müßte man den Zug noch kriegen.
Heut muß man nicht. – Doch man ist's so gewöhnt.

Die Fenster der Geschäfte sind verriegelt
Und schlafen sich wie Menschenaugen aus. –
Die Sonntagskleider riechen frisch gebügelt.
Ein Duft von Rosenkohl durchzieht das Haus.

Man liest die wohlbeleibte Morgenzeitung
Und was der Ausverkauf ab morgen bringt.
Die Uhr tickt leis. – Es rauscht die Wasserleitung,
Wozu ein Mädchen schrill von Liebe singt.

Auf dem Balkon sitzt man, von Licht umflossen.
Ein Grammophon kräht einen Tango fern . . .
Man holt sich seine ersten Sommersprossen
Und fühlt sich wohl. – Das ist der Tag des Herrn!

Osterspaziergang

Ganz unter uns: Noch ist es nicht so weit.
Noch blüht kein Flieder hinterm Heckenzaune.
Doch immerhin: Ich hab ein neues Kleid,
Bürofrei und ein bißchen Frühlingslaune.

Was hilft uns schon das ganze Trübsalblasen –
Da weiß ich mir ein bessres Instrument.
Ich pfeife drauf . . . Mich freut selbst kahler Rasen.
Und auf das Frohsein gibt es kein Patent.

Mich fährt die Stadtbahn auch ins freie Feld,
Mir weht der Märzwind gleich den Weitgereisten.
Ich hab mein' Sach' diesmal auf nichts gestellt.
– Das kann man sich noch leisten.

Blau ist der Himmel wie im Bilderbuch.
Die Vögel zwitschern wie in Frühlingsträumen.
Herb mischt die Waldluft sich mit Erdgeruch
Und frühem Duft von knospig reifen Bäumen.

Die Sonne blickt schon ziemlich intressiert.
Und wärmt beinah. – Doch, während ich sie lobe,
Verschwindet sie, von Wolken wegradiert.
Es scheint, sie scheint nur Probe.

Ganz unter uns: Noch kam der Lenz nicht an,
Obgleich schon Dichter Frühlingslieder schrieben.
– Erst wenn man frei auf Bänken sitzen kann,
Dann wird es Zeit, sich ernstlich zu verlieben . . .

Geburtstag

Wenn ich so gegen fünf nach Hause fahre,
Gibts Erdbeereis, Besuch und Radio-Tanz.
Spät abends erst mach ich für mich Bilanz
Und wünsch mich wieder in vergangne Jahre:

Ich möchte wieder in der Tertia sitzen
Und schwänzen, wenn die Günther Englisch gibt.
Ich möchte manchmal in die Haustür ritzen:
«In Werner Birken bin ich toll verliebt!!!»

Ich möcht so gern nochmal Theater spielen,
Möcht heulen, wenn Luise Miller stirbt,
Des Nachts vorm Spiegel wie die Baker schielen,
... Obgleich das den Charakter sehr verdirbt.

Möcht wieder mal auf Äppelkähnen krauchen,
Den Riesenwalfisch Untern Linden sehn,
Und hustend erste Zigaretten rauchen,
In einen Film für ‹über achtzehn› gehn.

Ich möcht nochmal – zum allerersten Mal –
Ganz still für mich den Pan von Hamsun lesen,
An Menschen glauben, die das Ideal
Der halbverträumten vierzehn Jahr gewesen.

Nun bin ich groß. Mir blüht kein Märchenbuch.
Ich muß schon oft ‹Sie› zu mir selber sagen.
Nur manchmal noch, in jenen stillen Tagen,
Kommt meine Kindheit heimlich zu Besuch ...

Frühling über Berlin

Sonne klebt wie festgekittet.
Bäume tun, als ob sie blühn.
Und der blaue Himmel schüttet
Eine Handvoll Wolken hin.

Großstadtqualm statt Maiendüfte.
– Frühling über Groß-Berlin! –
Süße, wohlbekannte Düfte . . .
Stammen höchstens von Benzin.

Durch den Grunewald lustwandelt
Eine biedre Keglerschar.
Eine Laute wird mißhandelt
Durch ein Wandervogelpaar.

Sonntags gehts mit der Verwandtschaft
(Meist jedoch mit Frollein Braut)
In die märkische Streusandlandschaft,
Wo man seinen Kaffee braut.

Sommerabendparkgeflüster . . .
Junges Pärchen auf der Bank.
– Doch das ältere Register
Sitzt im Gartenrestaurang.

Mütter schieben ihren Jüngsten
Auf den sonnigen Balkon.
Und zwei Weekends hinter Pfingsten
Hat die Liebe Hochsaison . . .

In einer fremden Stadt

. . . Natürlich läuft der Zug verspätet ein.
Man holt sich sein Gepäck vom letzten Schalter.
Ein brummiger Mann kaut still am Federhalter
Und streicht den Geldbetrag beleidigt ein.

Gleich vor dem Bahnhof liegt die fremde Stadt,
In der man noch bis heute nie gewesen,
So wie ein Buch, das man noch nicht gelesen –
Und unsre Ankunft ist das erste Blatt.

Wie wird an diesem Ort das Leben sein?
– Man wird sich ärgern, wird ein bißchen fluchen,
Verhaßte Spießer, weil man muß, besuchen,
Ein bißchen Glück . . . Im übrigen: allein.

Jetzt fällt es einem unvermittelt ein,
Man möchte irgend jemandem was schreiben.
Vielleicht an Steffi . . . Doch man läßt es bleiben.
Statt dessen steigt man in die ‹16› ein.

Der Wagen schaukelt, und man blickt hinaus:
Die Straßen tragen hier die gleichen Namen,
Das gleiche Stadtbild in dem gleichen Rahmen
Wie anderwärts. – Nur eines fehlt: ‹zu Haus›.

Das Rathaus ziert ehrwürdig alter Rost.
Wie überall gibts eine Bismarckwarte.
Hier kauft man sich die erste Ansichtskarte,
Wobei man denkt: heut wartet keine Post.

Ob hier die Zimmer auch so scheußlich sind?
Man nimmt vom Vertikow die Muschelschnecke,
Dann stellt man ‹Unsern Kaiser› in die Ecke.
– Der Lebenslauf in dieser Stadt beginnt.

Auf hoher See

1

‹Yokonda› heißt das Schiff
– Wie unsres Steuermannes verflossene Braut,
Der er auf Kapstadt Treue geschworen.
Er selbst ist lediglich zu Altona geboren.
Yokonda (römisch Zwei) ist auch stabil gebaut . . .

Ein echter Büffeljäger ist an Bord,
Zwei China-Girls mit schwarzen Pony-Fransen,
Ein Niggerboy, zehn Sachsen, drei Schimpansen,
Fünf magre Ladies und ein dito Lord.

Der kennt die Welt nur noch aus Liegestühlen.
– Jetzt hat er grad Europa absolviert.
Sogar sein Terrier blickt schon so blasiert,
Als wollt er mit dem Globus Fußball spielen.

Der Schiffskoch stammt vom Stillen Ozean
Und schwärmt von Haifisch blau mit grünen Feigen.
Der Käpten ist ein weitgereister Mann
Und kann in vielen fremden Sprachen schweigen . . .

2

Und also sprach der Heizer zu mir:
‹Tjo, Frölen, sehnsie, wenn man, wie wir,
So fuffzehnmol bis nach Tunis geschwommen
Und zwanzigmol rum um'n Äquator gekommen,
Denn will eens ooch widder een Mol in'n Hafen,
Un nich mehr bei Winds-tärke neun
Ganz allein
Mit so'n einsames Bullauge schlafen.›

Und außerdem sagte der Heizer zu mir,
(Und schielte zum Leuchtturm am englischen Pier –)
‹Die Welt is mol schön. Das ischa woll wahr!
Un Mädels . . . die gibt's ooch uff Sansibar.
Aber – um bei der Wahrheit zu bleiben –
Was die so von uns in die Bücher do schreiben
Von Whisky un Weiber un so. – Alles Lügen!
Hätt so'n Wasser Balken, die täten sich biegen . . .›

‹Tjawollja!› – So sprach der Heizer bedächtig.
‹Tjawollja!› – Und hierauf spuckte er mächtig
Und mit außerordentlichem Elan
Mitten in den Atlantischen Ozean . . .

Kurzer Reisebericht

In diesem Dorfe gibt es einen Bürgermeister,
Eine so gut wie freiwillige Feuerwehr,
Und hinterm Moor – als einzge – böse Geister,
Dazu ein Kurhaus. Und – ach, ja: das Meer.

Die Fischer haben Haut wie Pergament,
Ein hartes Los und keinen Hang zur Scholle.
Nebst einem nördlich-kühlen Temperament.
(– Was man im Kur-Prospekt vergleichen wolle.)

Die Großstadtgäste kommen wegen der gesundern
Luft. – In ihrer Freizeit lieben sie Natur
Und machen mit der kärglichen Figur Figur,
Daß sich die immerhin rundern Flundern
Wundern.

Die Kleidung ist angeblich ‹ungezwungen›.
Weil jedes Girl die Seemannskluft kopiert.
. . . In Crêpe de Chine. – So ‹echt› wie Gassenjungen,
Mit denen man das Sonntagsblatt garniert.

Dann gibt's noch ein Café der Prominenten.
Die haben es egalweg mit Kultur.
Provinzskribenten tun, als ob sie könnten.
Und was sie reden, ist Makulatur.

In Vollpension logiert ein Vegetarier,
Der ißt aus Überzeugung nur Spinat.
Ferner ein notleidender Großagrarier
Mit dem Refrain: ‹– Und sowas nennt sich Staat!›

. . . Die Verteilung der Güter wirkt ja oft grotesk.
Hier z. B. findet am Strand nur Erholung für Kurgäste statt.
Die Eingeborenen nehmen nur höchst selten ein Bad.
Die Dame aus Chemnitz findet dies pittoresk.

Das letzte Mal

. . . Den Abend werde ich wohl nie vergessen,
Denn mein Gedächtnis ist oft sehr brutal.
Du riefst: ‹Auf Wiedersehn›. Ich nickte stumm. – Indessen
Ich wußte: dieses war das letzte Mal.

Als ich hinaustrat, hingen ein paar Sterne
Wie tot am Himmel. Glanzlos kalt wie Blech.
Und eine unscheinbare Gaslaterne
Stach in die Augen unbekümmert frech.

Ich fühlte deinen Blick durch Fensterscheiben.
Er ging noch manche Straße mit mir mit.
– Jetzt gab es keine Möglichkeit zu bleiben.
Die Zahl ging auf. Wir waren beide quitt.

Da lebt man nun zu zweien so daneben . . .
Was bleibt zurück? – Ein aufgewärmter Traum
Und außerdem ein unbewohnter Raum
In unserm sogenannten Innenleben.

Das ist ein neuer Abschnitt nach drei Jahren,
– Hab ich erst kühl und sachlich überlegt.
Dann bin ich mit der Zwölf nach Haus gefahren
Und hab mich schweigend in mein Bett gelegt . . .

Ich weiß, mir ging am 4. Januar
Ein ziemlich guterhaltnes Herz verloren.
– Und dennoch: Würd ich noch einmal geboren,
Es käme alles wieder, wie es war . . .

Betrifft: Erster Schnee

Eines Morgens leuchtet es ins Zimmer,
Und du merkst: 's ist wieder mal so weit.
Schnee und Barometer sind gefallen.
– Und nun kommt die liebe Halswehzeit.

Kalte Blumen blühn auf Fensterscheiben.
Fröstelnd seufzt der Morgenblatt-Poet:
‹Winter läßt sich besser nicht beschreiben,
Als es schon im Lesebuche steht . . .›

Blüten kann man noch mit Schnee vergleichen,
Doch den Schnee . . . Man wird zu leicht banal.
Denn im Sommer ist man manchmal glücklich,
Doch im Winter nur sentimental.

Und man muß an Grimmsche Märchen denken
Und an einen winterweißen Wald,
Und an eine Bergtour um Silvester.
– Und dabei an sein Tarifgehalt

Und man möchte wieder vierzehn Jahr sein:
Weihnachtsferien . . . Mit dem Schlitten raus!
Und man müßte keinen Schnupfen haben,
Sondern irgendwo ein kleines Haus,

Und davor ein paar verschneite Tannen,
Ziemlich viele Stunden vor der Stadt,
Wo es kein Büro, kein Telefon gibt.
Wo man beinah keine Pflichten hat.

. . . Ein paar Tage lang soll nichts passieren!
Ein paar Stunden, da man nichts erfährt.
Denn was hat wohl einer zu verlieren,
Dem ja doch so gut wie nichts gehört.

Schienen-Sehnsucht

Heut habe ich einen D-Zug gesehn,
Der ging direkt in die Schweiz.
Mancher findet nur schnittige Achtzylinder schön,
Ich aber meinerseits
Habe seit langen
Sehnsuchtsvollen Jahren
Eine Schwäche für rauchgraue D-Zug-Schlangen,
Die in entlegene Länder fahren.

Ich kann auf keinem Bahnsteig der Welt
Mit kühlen Gefühlen stehen.
Ich kann nicht, wenn wo ein Expreßzug hält,
Ganz sachlich vorübergehen.
– Es ist ja nicht leicht,
An solchen Tagen
Ganz still (weil es wieder einmal nicht reicht),
Im Autobus ‹Einmal: Steglitz› zu sagen . . .

Heut habe ich einen D-Zug gesehn,
Der ging direkt nach Paris.
Ich blieb in geziemendem Abstand stehn.
Ich wußte ja ohnedies:
Es wartet niemand in dieser Stadt
Und niemand an ihrer Bahn.
Der Ort, wo man Sehnsucht nach mir hat,
Steht nicht im Reichs-Fahrplan . . .

Lediger Herr am 24. Dezember

Keines andern Zimmer ist so leer
Wie meines jetzt. Die letzten Ladenmädchen gehn nach Haus
– Nun fällt auch über mich die Weihnacht her.

Familienglück . . . Ich mache mir nichts draus.
Doch niemals noch war Einsamkeit so schwer –.
Den stummen Raum durchschreit ich kreuz und quer,
Lacht mich nicht dort die Mona Lisa aus?

Wie traurig so ein Schreibtischwecker tickt.
Langsam bimbamt die Glocke. Einer singt ‹Stiille Nacht . . .!›
– Zu Hause haben sie meiner gedacht
Und nußbraune Heimat-Kuchen geschickt,
Seidne Krawatten und einen Schal, von der Mutter gestrickt.

Nun also bin ich bei mir selbst zu Gast,
Ein lediger Prokurist in Gruppe sieben
Und teilmöbliert. – Es scheint mir fast,
Ich hab den Familienanschluß verpaßt
Und bin so übriggeblieben –.

Die Stube gähnt. Versuchsweis fällt schon Schnee,
Ganz unvermittelt grünt mein Tannenbaum.
– Vielleicht, daß ich fern von Lamettaschaum
Durch weiße wattige Straßen geh,
Fremde Türen zu spüren,
Einsam aus kahl vergessner Allee
In ferne Fenster zu stieren . . .

Das Licht verlischt. Noch immer fällt der Schnee.
– Man wird so scheußlich leicht sentimental.
Ein Schnaps wär gut. Ein höllischer Kaffee.

Man blickt ins totenleere Stammlokal
Und sagt geniert zum einsamen Portier:
‹Heut nicht. Gutnacht. – Vielleicht ein andermal . . .›

Nekrolog auf ein Jahr

Nun starb das Jahr. Auch dieses ging daneben.
Längst trat es seinen Lebensabend an.
Es lohnt sich kaum, der Trauer hinzugeben,
Weil man sich ja ein neues leisten kann.

Man sah so manches Jahr vorüberfliegen,
Und der Kalender wurde langsam alt.
Das Glück gleicht eleganten Luxuszügen
Und wir der Kleinbahn ohne Aufenthalt . . .

Im Wintersportgebiet hat's Schnee gegeben.
Wer Hunger hat, schwärmt selten für Natur.
Silvester kam. Und manches Innenleben
Bedarf jetzt fristgemäß der Inventur.

Wir gossen Blei und trieben Neujahrspossen.
(Minister formen meist den Vogel Strauß . . .)
Was wir im letzten Jahr in Blei gegossen,
Das sah verdammt nach Pleite-Geier aus.

Das Geld regiert. Wer hat es nicht erfahren,
Daß Menschenliebe wenig Zinsen trägt.
Ein braver Mann kann höchstens *Worte* sparen.
. . . Wenn er die Silben hübsch beiseitelegt.

Die Freundschaft welkt im Rechnen mit Prozenten.
Bald siehst du ein, daß keiner helfen kann.
Du stehst allein. Und die dir helfen könnten,
Die sagen höchstens: ‹. . . rufen Sie mal an!›

Nun starb ein Jahr. – Man lästre nicht am Grabe!
Doch: Wenn das Leben einer Schule gleicht,
Dann war dies Jahr ein schwachbegabter Knabe
Und hat das Ziel der Klasse nicht erreicht.

BLASSE TAGE

Blasse Tage

(Für Sonja P.)

Alle unsre blassen Tage
Türmen sich in stiller Nacht
Hoch zu einer grauen Mauer.
Stein fügt immer sich an Stein.
Aller leeren Stunden Trauer
Schließt sich in die Seele ein.

Träume kommen und zerfließen
Gleich Gespenstern, wird es Tag.
In uns bleibt das ewig zage
Fassen nach den bunten Scherben,
Und im Schatten blasser Tage
Leben wir, weil wir nicht sterben.

Katzenjammer-Monolog

Zuweilen möchte man aus sich heraus
Und kann die Tür ins Freie doch nicht finden.
Dann schnüffelt man vielleicht mal nach den Gründen
Und kriecht noch tiefer in sein Schneckenhaus.

Man müßte vieles tun. Und manches lassen.
Und kann das eine wie das andre nicht.
Man denkt an manche unerfüllte Pflicht,
Bis sich die Dinge dann mit *uns* befassen.

So vieles tut man rasch in Acht und Bann
Mit Augen, die geschlossen schon erblinden.
Doch auch das Schicksal hat so dann und wann
Auf unserm Konto Unterlassungssünden.

Mitunter scheints, man sei nun endlich da.
– Am Ziel, von dem man schüchtern nur geträumt hat –
Da plötzlich merkt man, daß man was versäumt hat,
Ein dummes Etwas nur. Beinah . . . beinah.

Wenn man ein zweites Mal geboren würde,
Dann finge man das Leben anders an.
– Vielleicht, daß dann so manches anders würde . . .
(Vorausgesetzt, daß man vergessen kann –)

Daß man vergessen kann, was man erfahren.
Man horcht sehr oft zu viel in sich herum.
Am besten wär es, klug zu sein und stumm.
Man ist zuweilen alt mit zwanzig Jahren.

Das Ende vom Lied

Ich säh dich gern noch einmal, wie vor Jahren
Zum erstenmal. – Jetzt kann ich es nicht mehr.
Ich säh dich gern noch einmal wie vorher,
Als wir uns herrlich fremd und sonst nichts waren.

Ich hört dich gern noch einmal wieder fragen,
Wie jung ich sei . . . was ich des Abends tu –
Und später dann im kaumgebornen ‹Du›
Mir jene tausend Worte Liebe sagen.

Ich würde mich so gerne wieder sehnen,
Dich lange ansehn stumm und so verliebt –
Und wieder weinen, wenn du mich betrübt,
Die vielzuoft geweinten dummen Tränen.

– Das alles ist vorbei . . . Es ist zum Lachen!
Bist du ein andrer oder liegts an mir?
Vielleicht kann keiner von uns zwein dafür.
Man glaubt oft nicht, was ein paar Jahre machen.

Ich möchte wieder deine Briefe lesen,
Die Worte, die man liebend nur versteht.
Jedoch mir scheint, heut ist es schon zu spät.
Wie unbarmherzig ist das Wort: ‹Gewesen!›

Jugendliebe a. D.

Die ganze Nacht hindurch hat es geregnet.
Mir ahnte gleich: der Tag fängt nicht gut an.
Um Mittag kam vom Steueramt der Mann,
Und dann am Abend bin ich dir begegnet.

Ich hätte dich beinahe nicht erkannt.
Du hast dich sehr verändert in den Jahren.
Auch ich hab zwischendurch sehr viel erfahren.
Mein Optimismus trat in Ruhestand.

– Was ich so treibe . . .? Nicht sehr viel. Man trottet
So nach und nach sein kleines Pensum ab.
Und meine Träume hab ich eingemottet.
Ich wuchs heraus. Nun sind sie mir zu knapp . . .

Du fragst so viel. – Ob ich jetzt glücklich sei,
Ob ich verliebt sei. Wie es sonst mir ginge . . .
Ich frage nichts. Dein Blick sagt mancherlei.
Es war einmal . . . Doch das sind tote Dinge.

– Heut bist du Prokurist und hast zwei Kinder.
Dein Lebenswandel ist korrekt, banal.
Du hattest einst ein andres Ideal;
Doch dieses scheint vernünftig und gesünder.

Ich sehe dich, vergangne schöne Jahre,
Und wie die Zeit uns durch die Finger rinnt.
Auch ich bin längst nicht mehr das große Kind.
Ich glaube nicht mehr an das Wunderbare –

Was übrig blieb von unsern großen Zielen,
Ist jetzt Gerümpel und nicht aktuell.
– Ich denk' an Gottes sogenannte Mühlen:
Sie mahlen doch zuweilen ziemlich schnell . . .

Melancholie eines Alleinstehenden

Wenn ich allein bin, ist das Zimmer tot.
Die Bilder sehn mich an wie fremde Wesen.
Da stehn die Bücher, die ich längst gelesen,
Drei welke Nelken und das Abendbrot.

Grau ist der Abend. Meine Wirtin tobt.
Ich werde irgendwo ins Kino gehen.
– Mit Ellen konnte ich mich gut verstehen.
Doch vorgen Sonntag hat sie sich verlobt.

. . . Das letzte Jahr ist so vorbeigeweht.
Mitunter faßt mich eine schale Leere.
Der Doktor sagt, daß dies neurotisch wäre.
Ob das wohl andern Leuten ähnlich geht

Ich träume manchmal, daß der Flieder blüht.
(Ich kann zuweilen ziemlich kitschig träumen.)
Erwacht man morgens dann in seinen Räumen,
Spürt man erst recht, wie es von draußen zieht.

Dann pflückt man statt der blauen Blümelein
Die ewig-weißen Blätter vom Kalender
Und packt die noch zu frühen Sommerbänder
Und seine Sehnsucht leise wieder ein.

Vorm Fenster friert der nackte Baum noch immer,
Und staubgeschwärzter Schnee taut auf den Beeten.
Der Ofen raucht. Und mein möbliertes Zimmer
Schreit schon seit Herbst nach helleren Tapeten.

Mein bester Freund ist nach Stettin gezogen.
Der Vogel Jonas blieb mir auch nicht treu.
Die Winterlaube hat der Sturm verbogen.
– Nun sitz ich da und warte auf den Mai . . .

Angsttraum

. . . Erst lief man nackt am sonnenhellen Tag
Durch endlos lange Säulen-Wandelhallen,
Und dann – im Traum nur – aus dem Bett zu fallen.
(. . . Was wohl Herr Freud von einem denken mag?)

Dann hatte man sein Rechenbuch vergessen
Und wußte nichts von einem Konjunktiv.
Der Schularzt war ein Mikrophon, das rief:
‹. . . Zur Strafe wirst du Haferflocken essen!›

Nun mußte man sehr viele Treppen steigen.
Da war ein Mann mit Namen Lebenslauf.
Der saß hübsch oben auf der Spitze drauf
Und grinste nur: Euch werde ich's schon zeigen!

Jetzt sollte man zehn Spalten aufaddieren,
Und stets kam ‹Rheingau 1300› raus.
Dann wieder lag man still im Krankenhaus,
Und hatte es laut Zeugnis an den Nieren.

– Und plötzlich sah man sich dann selbst als Toten
Und weinte bitterlich (. . . Es war ein Traum).
Die Freunde pflanzten einen Trauerbaum.
Neun Schupos sangen den Choral ‹Verboten›.

. . . Da merkte man, daß alles nur geträumt war,
Und wachte auf. Und dachte allerhand.
Und als der Wecker dann auf neune stand,
Da wußte man, daß das Büro versäumt war.

Gewisse Nächte

Heute möcht ich nicht nach Hause gehen.
Das wird wieder mal so eine Nacht.
Vor der Höfe dunklem Häuserschacht
Werde ich allein am Fenster stehen.

Still und traurig blinzeln ein paar Sterne,
Langweilt sich ein blasser halber Mond.
Und vom Tor her, wo der Pförtner wohnt,
Kräht ein spätes Grammophon von ferne.

Doch schon fünf Minuten hinterm Haus
Stirbt der Lärm von letzten Stadtbahnzügen.
Wo die Bäume sich im Nachtwind biegen,
Geht der großen Stadt der Atem aus.

Aus verschwiegnen, dicht verhängten Fenstern
Starrt das Schicksal Fremder in die Nacht.
Alte Kinderangst ist aufgewacht:
Vieles wird im Dunkel zu Gespenstern.

Und man träumt und horcht dem Schlag der Stunden . . .
Dieses Warten, daß es Morgen wird!
– Labyrinth, aus dem, des Nachts verirrt,
Mancher gar nicht wieder heimgefunden.

. . . Laß mich heute nicht nach Hause gehen,
Bis der Schatten ganz vorüber ist.
Denn solange du noch bei mir bist,
Fühle ich, es kann mir nichts geschehen.

Kleine Auseinandersetzung

Du hast mir nur ein kleines Wort gesagt,
Und Worte kann man leider nicht radieren.
Nun geht das kleine Wort mit mir spazieren
Und nagt . . .

Uns reift so manches stumm in Herz und Hirn,
Den andern fremd, uns selbst nur nah im stillen.
Das schläft, solang die Lippen es verhüllen,
Entschlüpft nur unbewacht, um zu verwirrn.

Was war es doch? Ein Nichts. Ein dummes Wort . . .
So kurz und spitz. Leis fühlte ich das Stechen.
In solchen Fällen kann ich selten sprechen,
Drum ging ich fort.

Nun wird ein Abend wie der andre sein,
Sinnlos mein Schweigen, ziellos mein Beginnen.
Leer wird die Zeit mir durch die Finger rinnen.
Das macht: ich weiß mich ohne dich allein.

. . . Ich muß schon manchmal an das Ende denken
Und werde dabei langsam Pessimist.
So ein paar kleine Silben können kränken.
– Ob dies das letzte Wort gewesen ist?

Einsamer Abend

Die Stille sickert leis durch Türenritzen.
Durch meine Stube kriecht die Einsamkeit
Und bleibt dann stumm auf kahlen Bänken sitzen.
Der Abend läßt sich heute sehr viel Zeit.

Tief schweigt der Raum. Nur müßge Dielen knarren.
Die Ecken sind mit Schatten angefüllt.
Ich bin allein mit meinem Spiegelbild,
Man soll im Dunkeln nicht in Spiegel starren . . .

Der Tag hat seine Schuldigkeit getan:
Nur eine Handvoll Glück. Das ist zertreten.
Nun schleppt die Nacht mir die Gedanken an
Und müde Träume, die ich nie erbeten.

Da draußen hält der Regen Monolog
Und spielt mit dem Applaus der Fensterscheiben.
– Wie ging das Lied, das einst mich zu dir zog?
Aber du solltest nicht bleiben.

Klang ein Lied. Das ist verweht.
Gläsern schläft ein Garten.
Kleine brave Tischuhr tickt.
Porzellan-Pagode nickt.
Muß ich immer warten . . .

Einmal sollte man . . .

Einmal sollte man seine Siebensachen
Fortrollen aus diesen glatten Geleisen.
Man müßte sich aus dem Staube machen
Und früh am Morgen unbekannt verreisen.

Man sollte nicht mehr pünktlich wie bisher
Um acht Uhr zehn den Omnibus besteigen.
Man müßte sich zu Baum und Gräsern neigen,
Als ob das immer so gewesen wär.

Man sollte sich nie mehr mit Konferenzen,
Prozenten oder Aktenstaub befassen.
Man müßte Konfession und Stand verlassen
Und eines schönen Tags das Leben schwänzen.

Es gibt beinahe überall Natur,
– Man darf sich nur nicht sehr um sie bemühen –
Und so viel Wiesen, die trotz Sonntagstour
Auch werktags unbekümmert weiterblühen.

Man trabt so traurig mit in diesem Trott.
Die andern aber finden, daß man müßte . . .
Es ist fast, als stünd man beim lieben Gott
Allein auf der schwarzen Liste.

Man zog einst ein Lebenslos ‹zweiter Wahl›.
Die Weckeruhr rasselt. Der Plan wird verschoben.
Behutsam verpackt man sein kleines Ideal.
– *Einmal* aber sollte man . . . (Siehe oben!)

PLÜSCHSOFA UND VERTIKOW

Verwandtschaft

(Verse für kein *Familien-Album)*

Verwandte gleichen oft dem Lenz:
– Auf einmal sind sie da!
Sie stehen ohne Konkurrenz
Bezüglich ihrer Konsequenz:
Dein Nein ist ihnen Ja.

Verwandtschaft ist stets gottgewollt,
Vom Himmel dir geschenkt.
Meist kommt sie paarweis angerollt,
Und während Tante Lieschen schmollt,
Ist Onkel Fritz gekränkt.

Verwandte üben stets Kritik
An deinem Lebenslauf.
– Dir fehlt der Sinn für ‹Hausmusik›,
– Du treibst als Sport die Politik
Wie andre Dauerlauf.

Sie haben jede Neuigkeit
Direkt aus erster Hand.
Sie haben leider sehr viel Zeit.
Von nun an bis in Ewigkeit
Sind sie nichts als verwandt.

. . . Dir ist Verwandtschaft unbequem?
Du kalter Egoist!
Den Tanten wirst du zum Problem.
– Weil man Gefühl ja nur mit dem
Familiometer mißt.

Emma geht

Und Emma geht. Wie Emmas eben gehen . . .
Sind andre Emmas wohl wie unsre treu?
Bald werden andre Koffer um uns stehen
Und andre Bilder von den Wänden sehen.
Und fremde Hände schlagen was entzwei.

Ein Telegramm. – ‹Ich gehe.› Kurz und bündig.
Am Wäschetag – man denke – zieht sie fort.
Der Dackel weint, als hätt er sich versündigt,
Und Mutter faßt es nicht, daß sie gekündigt.
Verweinte Augen sprechen manches Wort.

Im Hausflur wartet August schon begehrlich
Und packt karierte Wäsche ganz diskret.
– Man schreibt ins Zeugnis, daß sie ‹treu und ehrlich›,
Und die Portierfrau meint: ‹Det is man spärlich!›
Das Baby brüllt. Und unsre Emma geht . . .

Das Poesie-Album

Es hat noch drei Millionen Mark gekostet.
Das war so gegen Schluß der Inflation.
. . . Heut löst das Wachstuch sich vom Einband schon,
Und selbst das Garantieschloß ist verrostet.

Gleich auf der ersten Seite stehn die Verse:
‹Ich hab dich mächtig lieb, mehr weiß ich nicht . . .›
Mein Vetter Rudolf schrieb mir dies Gedicht.
– Heut weiß er mehr und spricht nur von der Börse.

Der Lehrer Borchardt tät die Feder wetzen
Und schrieb was tiefes Klassisches hinein;
Und Elsie Müller malte ‹Ewig dein!›
Um mich sodann im Rechnen zu verpetzen.

‹Drum sei ein Mann und zimmre dir dein Leben!›
Das war Johannchen Günthers weiser Rat.
– Johannchen, kläglich ist das Resultat,
Doch glaub: ich hab mir alle Müh gegeben . . .

Wie mags den andern aus der Klasse gehen?
– Was man sich alles vorgenommen hat!
Mitunter trifft man einen in der Stadt
Und bleibt zu zweit dann eine Weile stehen

– Hier haben sie sich alle eingetragen,
Die letzten auf dem Abgangs-Schülerfest.
Und dieses Album ist der letzte Rest
Aus jenen sogenannten Sonnentagen.

. . . Dabei hats drei Millionen Mark gekostet!
Vielleicht erlebt's nochmal 'ne Inflation.
Zwar gilbt das Kriegspapier allmählich schon,
Und auch das Schloß ist, wie gesagt, verrostet . . .

Kleine Havel-Ansichtskarte

Der Mond hängt wie ein Kitsch-Lampion
Am märk'schen Firmament.
Ein Dampfer namens ‹Pavillon›
Kehrt heim vom Wochenend.

Ein Chor klingt in die Nacht hinein,
Da schweigt die Havel stumm.
– Vor einem Herren-Gesangverein
Kehrt manche Krähe um.

Vom Schanktisch schwankt der letzte Gast,
Verschwimmt der letzte Ton.
Im Kaffeegarten ‹Waldesrast›
Plärrt nur das Grammophon.

Das Tanzlokal liegt leer und grau.
(– Man zählt den Überschuß).
Jetzt macht selbst die Rotundenfrau
Schon Schluß.

Von Booten flüstert's hier und dort.
Die Pärchen ziehn nach Haus.
– Es artet jeder Wassersport
Zumeist in Liebe aus.

Noch nicken Föhren leis im Wald.
Der Sonntag ist vertan.
Und langsam grüßt der Stadtasphalt,
Die erste Straßenbahn . . .

Horoskop gefällig . . .?

An unsrer Straßenecke steht ein Mann,
Der kann, so sagt er, in den Sternen lesen.
Zwölf Jahr ist er im Koch-Beruf gewesen,
Bis er auf die Berufung sich besann.

Die Branche scheint ihm besser zu behagen.
Von zwei bis sechs wird Zukunft offeriert.
‹Die Sterne lügen nicht. Dankschreiben garantiert!›
Erzählt das Pappenschild an seinem Wagen.

Saturn und Venus sind dem Seher heilig
Und wolln ihm nicht mehr aus dem sechsten Sinn;
Doch leider steht nichts in den Sternen drin,
Naht Mars sich in Gestalt des Schupos eilig.

Das Horoskop, das er für mich gestellt,
Befiehlt, den Glücksstein Carneol zu tragen.
Den kaufte ich mir gläubig vor acht Tagen;
Nun wart ich, daß das Glück mich überfällt . . .

Da steht auf himmelblauem Holzpapier,
Der Tierkreis Steinbock lenke meine Schritte,
Und wenn ich ab und zu an Leichtsinn litte –
Das liegt am Kosmos. Ich kann nichts dafür . . .

Piefkes Frühlingserwachen

Hol aus dem Schrank die Frühjahrsmäntel, Jrete!
Die ollen Wintafetzen pack in Naftalin!
– Und ihr wascht euch man dalli alle beede:
Et jeht bei Mutta Jrien!

Die Stullen ha'ck in'n Koffa schon vastochen,
Hast du 't Serwie un die Zichorie auch?
In Tejel kenn wa denn jemietlich Kaffee kochen
Nach altem Brauch!

Emilie, komm! Du muß den Rucksack traren!
– Un schick die Jören vorher uffs Kloseeh,
(Reich mir man schnell noch eenen reinen Kraren),
Sonst ‹missen› se jleich wieda im Kupeeh!

Haß du die wollne Decke nich vajessen? –
Wejen den Kuchen sach die Schmidt Bescheid,
Det se nich wieda unsan allefressen,
– Det jeht suuu weit!

Wenn die heut kommt – von wejen Kindawaren –
Denn sinn wa quitt!
Det heeßt denn jleich: ‹Wolln Sie den Kleenen traren›,
Mach ick nich mit!

Putz dir de Neese orntlich ma, Mariechen,
Und Fritz, hol Vatan die Harmonika!
– Wenn ihr wert weita wie die Schnecken kriechen,
Dann bleibta da!

Wat heeßt, ‹der Tabak tut dir nicht bekommen?›
– Wer is hier Herr im Haus?
Adschö. – Un daß mir keene Klaren kommen!
Na, denn man rraus!

Tratsch im Treppenflur

– Ob Sie 't nu jlooben oda nich:
Von Bumkens die Meta, die jeht uff'n Strich!
. . . Wat, Meyern, ick sachte doch ofte schon,
Die takelt sich uff wie 'ne richtje Persohn!

– Na, ick habs die Bumken schon imma jesacht,
Die Jöre, die treibt sich doch rum alle Nacht.
. . . Un denn: mit die Kerle in'n Hausflur poussiehrn –
Ick meene, det *kann* zu wat Jutet nicht fiehrn!

Aba ick jloobe, die sieht det noch jern.
Schon frieha, wo se mit den meblierten Herrn . . .
– Na, man will ja weita nich drieba reden.
Aba die Olle erzählt et ja jeden.

Bildt sich wat in uff det joldije Kind . . .
Na, meine Tochter die derft et nich sind!!!
Is ja ne Schande for't janze Haus.
– Wie sieht 'n det Mächen schon heite aus!

Bemalte Fassade, de Haare wie Stroh.
Det Röckchen, det reicht ihr man knapp bis an Po . . .
Die schickste Kledasche ist der nich ze teier,
– Bis jetzt truch se Kluft von Brenninkmeyer.

Ich frare Ihn'n nu: wo hat die det her?
Uff Arbeet jeht die doch seit Ostern nich mehr.
Bei Tare stempeln, de Nächte zum Tanz,
– Un sonntachs da riecht's nach jebratene Jans . . .

Det soll eena jlooben?! – Na, det ick nich lache.
– Aba det is ja die Bumken ihre Sache.
Wat jeht *mir* det an? – Na, denn: jute Nacht!
. . . Sonst heeßt's: unsaeens hätte Tratsch jemacht!

Kolonialwaren-Handlung

In jeder kleinen Stadt das gleiche Bild:
Im Fenster Reis und Grieß und Konfitüren,
Ein Mann, der einen Krug mit Sirup füllt,
Und Fliegen, die mit Käsen kokettieren . . .

Neugierig blinzeln dir Korinthen zu.
Der Duft von sauren Gurken weckt Verlangen.
Bonbons in blankem Glas, an denen du
Als Kind oft sehnsuchtsvoll vorbeigegangen.

Und hinterm Ladentisch die rosge Frau
– Indes die runden Händchen Tüten wiegen –
Verkündet sanft, mit Augen rollmopsblau:
‹Das Auszugsmehl ist wiederum gestiegen . . .›

Schulausflug

Des Morgens versammelt sich alles um acht:
Die Kinder mit Rucksack und Milchkaffeeflaschen,
Herr Borchardt in Loden und Wickelgamaschen,
Das Pensum des Tags wohldurchdacht.

Vom Bahnhof aus wandelt man stumm;
Folgt Chorgesang: ‹Komm lieber Mai . . .›
Nebst Meldung, daß Wandern des Müllers Lust sei,
Ans staunende Publikum.

Jetzt lehrt der Herr Borchardt Natur
An Staubfäden sämtlicher Größen und Stärken.
Das muß man sich dann für den Schulaufsatz merken,
A conto Zensur.

Danach wird im Walde gespielt,
Worauf sich die Kinder ‹recht freundlich› gruppieren,
Denn jetzt kommt der Hauptspaß: das Fotografieren
Fürs Klassenbild.

Im Gänsemarsch kehrt man zurück:
‹Wir haben im Waldschlößchen Frühstück gegessen›,
‹Und ich habe nur bei Herrn Borchardt gesessen . . .›
– Das ist das Glück.

Der Herr von Schalter neun

Er wirkt zu der Menschheit Segen
Als Hüter des ‹Schema F›.
Er tritt seine kleinen Kollegen
Und kniet vor dem hohen Chef.

Des Morgens ganz Punkt um halb achte
Lenkt er seinen Schritt ins Büro.
Er holt seinen Arbeitsrock sachte
Und setzt sich auf seinen Popo.

Dann nimmt er die Stull'n aus der Mappe.
Die schiebt er mit Ruh und Pläsier
In seine verbissene Klappe.
Und faltet das Stullenpapier.

Jetzt holt er den Bleistift, den gelben,
‹Behördlich genehmigt› vom Pult
Und geht an das Spitzen desselben
Mit Andacht und stiller Geduld . . .

Er sitzt im Beamten-Vereine
Oder kurz gesagt: im ‹Be-Vau›.
Am Sonnahmt schiebt er ‹Alle Neune›,
Und am Montag, da ist er noch blau.

Er läßt seine Kinder ‹gut bilden›,
Jawollja: denn Bildung muß sein!
Und sein Eheweibchen Mathilden
Schickt er in den ‹Wirtschaftsverein›.

. . . Und erst seine Tochter Emilie!
(Im Herbst wird sie achtzehn Jahr).
Die ist der Stolz der Familie.
‹Sie geht mit'n Doktor sogar!›

– Und feiert er sein Jubiläum,
Und kriegt er erst seine Pension . . .
Dann wär er für jedes Museum
Eine Bomben-Attraktion!

‹Herrschaftliche Häuser›

Außen protzt das herrschaftliche Haus
Stillos-reich und kitschig-kalt wie früher.
Innen kennt sich der Gerichtsvollzieher
Besser als der Geldbriefträger aus.

Ritterfräulein auf den Buntglasscheiben
Winden sich sowie den Jungfernkranz.
. . . Letzter Rest der Vorkriegseleganz.
Drinnen lebt man vom Adressenschreiben.

Familien-Silber leuchtet auf Auktionen.
Dem Bechstein-Flügel hat man nachgeweint.
Kahl starrn die Wände. Und den Armen scheint,
Daß sie bei sich selbst zur Miete wohnen.

Ein Werkstudent logiert im Rauchsalon.
Ein Postbeamter haust im ‹Biedermeier›.
Die Armut hockt auf der Louis-quinze-Chaiselongue.
– Und mittags gibt es höchstens Spiegeleier.

Die Töchter gehen stempeln oder tippen.
Teils sind sie Mannequins und teils nur Braut . . .
Es lebt sich schwer bei Tee und trocknen Schrippen.
Die Mütter sind in Ehren noch ergraut.

Und locken nachts die grellen Lichtreklamen,
Sehn sie verstohlen in die Stadt hinaus.
– Sie wohnen ja im herrschaftlichen Haus
Und waren kürzlich selbst noch bessre Damen.

Einst hatte man noch manikürte Hände
Und einen Ruf. Doch das ist lange her.
Seit Neujahr grüßt selbst der Portier nicht mehr.
Das ist das Ende . . .

Chor der Kriegerwaisen

(geschrieben zwischen zwei Kriegen)

Wir sind die Kinder der ‹Eisernen Zeit›,
Gefüttert mit Kohlrübensuppen.
Wir haben genug von Krieg und von Streit
Und den feldgrauen Aufstehpuppen!

Kind sein, das haben wir niemals gekannt.
Uns sang nur der Hunger in Schlaf . . .
Weil Vater im Schützengraben stand,
Zu fallen für Kaiser und Vaterland,
Wenns grade ihn mal traf.

Unser Kinderschreck war der Heldentod,
Unser Märchenbuch: Extrablätter;
Unsre Leckerbissen: das Karten-Brot;
Kanonen – unsre Götter.

Die Schulfibel prangte so stolz schwarzweißrot,
Draus lernten wir: Tod den Franzosen!
Wir übten: ‹Man sagt nicht Adieu; nur Grüßgott›
Und schwärmten für Stahlbadehosen.

Und kam eines Tages ein Telegramm,
Wenn der Vater schon lang nicht geschrieben –
Dann zog sich die Mutter das Schwarze an,
Und wir waren kriegshinterblieben.

Wir lernten Geschichte und Revolution
Am eigenen Leibe erfahren.
Wir schwitzten für Gelder der Inflation,
Die später Klosettpapier waren.

Wir spüren noch heute auf Schritt und Tritt
Jener ‹Herrlichen Zeiten› Vermächtnis.
– Und spielt ihr Soldaten, wir machen nicht mit;
Denn wir haben ein gutes Gedächtnis!

Kleines Lesebuch für Große

Statt einer Widmung

(Für Ernst Rowohlt)

Hier nahe ich, geschwärzten Angesichts,
Ganz ohne tiefdurchdachte Widmungszeilen.
Man mag dran drehen und dran feilen,
Auf ‹Rowohlt› reimt sich eben nichts!

Doch, Meister, hoffe ich, daß Sie
Auch ungereimtes Zeug verstehen.
Einer geschenkten Poesie
Soll man nicht auf den Vers-Fuß sehen . . .

Mascha Kaléko

Römisch Eins

VON MENSCH ZU MENSCH

Nun, da du fort bist, scheint mir alles trübe.
Hätt' ich's geahnt, ich ließe dich nicht gehn.
Was wir vermissen, scheint uns immer schön.
Woran das liegen mag –. Ist das nun Liebe?

Liebe, da capo . . .

Auf einmal also bist du wieder da,
Und jeder brave Vorsatz ist verloren.
Ich hatte es mir diesmal zugeschworen;
. . . Und kämst du selbst aus Innerafrika:

Aus und vorbei! – Doch schon ist es zu spät.
Nun sitz ich, wie das heißt, in deinen ‹Netzen›.
Man sollte meine Seele strafversetzen
In ein Revier, das dir nicht untersteht.

Wußt ich denn nicht, daß es sehr ratsam ist,
Dich mit gut eingeübter Kühle fortzutreiben?
Wie aber soll ich denn vernünftig bleiben,
Wenn du mir leider so sympathisch bist?!

Als wäre nichts geschehn, tauchst du nun auf,
Mein kleines bißchen Ruhe zu zerstören.
Es ist so schwer, das Böse abzuwehren.
– Ich geb es auf

Und weiß: ein Herz, das man schon mal verlor,
Reist nur noch in getragenen Gefühlen.
Und, während wir noch einmal ‹Liebe› spielen,
Bereit ich mich zum nächsten Abschied vor.

Liegengebliebener Brief auf Postfach 7

Wahrscheinlich kommst Du nicht mehr an den Schalter,
Weil Dich dies Postfach nicht mehr interessiert.
Ich aber lauf Dir nach per Federhalter
Und bin bei Dir auf Sehnsucht abonniert.

Ich weiß: das schickt sich nur für Konfirmanden,
Nicht für den ‹reifen Mann› mit Amt und Pflicht.
Ich habe acht Examina bestanden,
Das schwierigste – vor Dir – bestand ich nicht.

Es riecht nach ‹*Chypre*›, wenn ich von Dir träume,
Denn damals hast Du dies Parfum geliebt.
Ich geh noch einmal durch die gleichen Räume,
Sie sind so tot, seitdem es Dich nicht gibt.

An jeder Ecke spür ich Deine Nähe.
Noch folgt mir überallhin Dein Gesicht.
Und wo ich wirres Braunhaar flattern sehe,
Bist Du es, Liebste. – Doch Du bist es *nicht*.

Zu Neujahr werd ich diese Stadt verlassen.
Hier ist mir alles viel zu gut bekannt.
Dein Zimmer. Mein Büro. Und unsre Gassen,
Die tausend Dinge, von Dir umbenannt . . .

Jetzt hast Du lauter höhere Int'ressen!
– Ich bin nur noch für: ‹. . . *viele Grüße!*› da.
Du kannst so herrlich leicht und schön vergessen,
Wie ich aus Deinem kurzen Brief ersah.

Es war Dein letzter. Denn Du kannst nicht lügen.
Ich weiß, daß Dir der Andere gefällt.
Und doch: Du warst für mich ‹nach Maß› bestellt.
Ich kann mich nicht mit Konfektion begnügen . . .

Ganz kleiner Schwips

Mir ist so kognakfroh zumut!
Schon tanzen Wand und Schränke . . .
Ich sag dem Tischherrn, was ich von ihm denke
Und schließe draus: der Schnaps war gut.

Wenn andre taumeln, hab ich knapp nen Schwips.
– Ich kann mich leider niemals ganz betrinken.
Und wenn die andern Hirne sanft versinken,
. . . Meins bleibt aus Gips.

Ich trink mit einem Frack auf ‹Du und Du›
Und hab selbst dabei noch Salonmanieren;
Denn neben mir geht mein Verstand spazieren
Und sieht still zu.

Ich denk an vorges Jahr um diese Zeit
Und möchte heimlich an die Türe gehn.
Nun hab ich einen Schwips, ein neues Kleid . . .
Für wen?

Du bist natürlich wieder mal nicht hier.
Wenn mir so grau wird, bin ich meist allein.
Mein Kater murrt. Vom Rathaus schlägt es vier.
– Und morgen werd ich wieder traurig sein . . .

Bescheidene Anfrage

Steht mein Bild wohl noch auf deinem Tisch?
Kramst du manchmal noch in meinen Briefen?
Ist das kleine Landhaus mit dem schiefen
Bretterdach auch jetzt noch malerisch?

Geht die Haustürklingel noch so schrill
Und verklingt erschrocken immer leiser . . .
Bellt dein Dackel Julius noch so heiser?
Ists am Abend so wie damals still?

Hast du immer noch kein Telephon?
Gibts auf dem Balkon noch Hängematten?
Spielt ihr manchmal noch die Schubertplatten
Auf dem altersschwachen Grammophon?

Gibts zum Tee noch immer Zuckerschnecken?
Sagt Johanna immer noch ‹der› Gas . . .?
Darf man in das teure Gartengras
Immer noch nicht seine Beine strecken?

Weht der Seewind morgens noch so frisch?
Grinst der Mond des Nachts noch so verlegen?
Gehst du manchmal mir zur Bahn entgegen?
. . . Steht mein Bild wohl noch auf deinem Tisch?

Steht mein Bild . . .? – Ich hab' es selbst zerrissen!
Glaub nur nicht, ich hätte deins vermißt.
Aber manchmal möcht man manches wissen,
Wenn man so mit sich alleine ist . . .

Erster Ferientag

Hinter Finkenwerder geht die Sonne auf. Zartgrüne Grasspitzen schimmern im frühen Licht. Weit drüben hinter den Schienen verklingt das Schnaufen der Lokomotive.

Diese Stille im Wald. Hast du je solchen Himmel gesehen?

Stunden später liegt die Sonne prall auf der Landstraße. Weiße Meilensteine blitzen auf. Alle paar Minuten knirscht ein Leiterwagen durch den körnigen Sand, zerknattern eilige Motorräder den klaren Morgen. Braungebrannte Burschen kommen mit Karren und Gerät, weizenfarbenes Haar hängt ihnen in die feuchte Stirn. Sie alle haben Werktag heute. Harter Werktag, aus dem wir kommen und in den wir zurück müssen, wenn uns die paar freien Tage entlaufen sein werden.

Nicht daran denken. Noch liegen die Tage vor uns wie weite reife Felder vor der Ernte. Wir haben Zeit, wir zwei. Die Welt blüht, du hast mich lieb und ich bin gerade Zwanzig. Die Stunden hinter uns haben noch nichts von dem bitteren Nachgeschmack des Gewesenen, es sind ja noch so viele da. Diese ersten Stunden. Schönste der Freuden: Vorfreude. Alles liegt noch so herrlich ungewiß vor uns, Weg, Wandern, Ziel. Nur eines ist gewiß: wir sind frei. Und ich weiß mich neben dir, wenn meine Füße über knorrigen Waldboden stolpern, wenn sie sammetweiche Wiesen, den scharfen Kies glühender Straßen spüren.

Sieh dich doch um. Niemand. Birke, blauer See und wir.

Um Mittag ist der zarte Frühling zu einem kräftigen Sommer herangewachsen, der sich auf allen Feldern breitmacht. Staubige Chausseen glühen. Wegarbeiter halten Mittagspause. Nach siedendschwarzem Teer riecht es und würziger Erbsensuppe. Heiß dampft es in blauen Emailletöpfen, kühl schäumt das braune Bier aus den Flaschen. Blechlöffel klappern. Mahlzeit . . .

Ab und zu gibt es mitten auf dem Weg guten Grund zum Stehenbleiben. Pst, ein Eichhorn. Weg ist es. Da, ein Segelboot an der Grenze zwischen tiefem Blau des Wassers und verwaschener Himmel-Bläue . . . Sonst aber wird den beiden welligen Schatten da vorn, dem riesenlangen mit dem eckigen Rucksackbuckel und dem zappeligen kleinen mit wehendem Schopf gehorsam nachgefolgt. Und wenn dieses Türmchen da oben und jenes kleine Dorf da unten nahebesehen nicht das halten, was sie versprochen, so daß man einander enttäuscht ins Gesicht sieht, wie Spielkameraden, denen der bunte Ball ins Wasser gefallen ist, dann heißt es vorwärts, weiter, und die Füße wissen Bescheid. Bleiben die letzten Bauernhöfe mit Stachelzaun und bissigem Hund zurück, so grüßt hinter dem nächsten Strohdach schon der neue Wald, der neue See, der schweigend zwischen knochenhageren Fichten blaut.

Es ist so gleich, welcher Name auf dem Bahnhofsschild steht. Meilensteine haben überhaupt nichts zu sagen, und wenn es einem gerade so einfällt, könnte man glatt im Freien übernachten. – Falls es dem Mädchen nicht zu kalt wird. Aber das Mädchen ist ein halber Junge. Trotz des buntgeblümten Sommerfähnchens und trotz des lächerlichen Leinenbeutels, das die Kleine für einen Rucksack ausgibt. Zimperlich ist sie nicht. Stapft darauf los wie ein organisierter Pfadfinder in den winzigen Fünfunddreißigern mit Gummiabsatz, und läßt sich diesen sogenannten Rucksack auch nicht einen Atemzug lang abnehmen, obgleich die schmalen Lederriemen über den Schultern einfach schneiden *müssen* . . .

Zuweilen aber vergißt sie all die guten Vorsätze und springt ab vom Weg, ein paar gelbe oder blaue Blüten auszurupfen. Natürlich welkt das Zeug hinterher in der prallen Sonne, aber das können ja die Weiber nun mal nicht lassen. Und wenn es sie wirklich so glückselig macht, dieses Gemüse, dann mag sie nur ruhig die halbe Pflanzenwelt der Mark Brandenburg ausrotten! Den dicken Landgendarm grüßt sie frech mit einem Riesenstrauß im Arm. Wenn sie mit raffiniertester Stadthöflichkeit um Auskunft bittet, gibt es allemal freundlichen Bescheid und endloses Nachstarren. Sieht wohl merkwürdig aus, der lange Hornbrillenmensch neben dem lütten Kindergesicht, wie? So ein bißchen nach Verführung Minderjähriger mit fetter Schlagzeile im morgigen Lokalblättchen . . . Fünf Schritte weiter äußert die ‹Minderjährige› eine recht vernünftige Ansicht über ein neuerschienenes Werk, das sie mit fachmännisch begründenden Worten in Grund und Boden verdammt. Was sie jedoch nicht daran hindert, ein bißchen Theater zu spielen vor Leuten, die einem geradewegs in die Arme laufen. Sie kennt merkwürdige Persönlichkeiten, die unbedingt kopiert werden müssen. Ein Lustspiel-Professor leidet an einer drolligen Krankheit, von ihr die ‹Konjugieritis› benannt, «Na, zum Beispiel: ‹Bellinzona› – Ich bell in Zona, du bellst in Zona, er bellt in Zona. Oder ‹Magdeburg›: Ich mach de Burg, du machst de Burg, er macht de Burg . . .» Und so weiter. – Ob Frösche wohl eine schwierige Grammatik haben?

«Weißt du, wann ich das letzte Mal so mit dem Rucksack in die Ferien gelaufen bin, wartemal, drei, vier, nein fünf Jahre – große Fahrt nach Thüringen. Mit anschließendem Klassenaufsatz. Damals habe ich noch den Gieseking angeschwärmt. Liebergott, . . . ist das her!»

Wie sie mit Fünfzehn gewesen wäre? – Na, wie man da zu sein pflegt: innen schüchtern, außen frech. Reden wir nicht darüber.

Nach einem ernsthaften Gespräch gibt es einige Kilometer Schweigen. Dann aber fällt ein Stichwort: ‹Schulstreiche›, und wieder ist sie das vor die Klassentür gestellte *enfant terrible*, das Unfug stiftet hinter geschlossener Tür. Sie macht das alles noch einmal durch, jenes längstvergessene Mantelärmel-Zubinden, Mützenvertauschen, das Horchen am Konferenzzimmer auf dem mäuschenstillen Schulkorridor. Er, der riesenlange Schatten mit Hornbrille, lacht und sieht sie vor sich: das ungehorsame Schulkind, dem es zu langweilig geworden ist zwischen der großen Schuluhr und den ausgestopften Säugetieren in der Lehrmittel-Vitrine, das jetzt leise das Treppengeländer hinabrutscht und sich heimlich am Pedell-Fensterchen vorbeistiehlt . . .

Mittagsglut, die nicht weichen will. Die Schritte werden kleiner. Der Wind ist weit fort, hinter den Bäumen vielleicht. Die Vögel schlafen in der Müdigkeit dieses Sommertages.

«Du», sagt sie etwas schüchtern, – beide Daumen hat sie schützend unter die kneifenden Rucksackriemen geschoben –, «ich kannte mal einen, der sagte, wenn es so heiß wurde wie jetzt: ‹So, nun wird gerastet!›»

Das kann ihr werden. Auch ein Schluck aus der Himbeerflasche wird bewilligt. «Was hältst du von dem Wald da drüben?»

– «Mehr Gegend als Natur.» Also weiter. Den kleinen Abhang links erklärt sie für eine ‹Entdeckung›. Farnkraut gäbe es, Zittergras und einen Saum von echtestem Laubwald. Ein paar Eichen auf dem ‹Gipfel› bemühen sich, majestätisch auszusehen. Und die kleine Wiese mit rosa Kleeblüten. Und Laternenblumen, die sich auspusten lassen. Löwenzahn darf nicht gepflückt werden. Bekanntlich. Weil man davon blind wird. In der Ferne gelbe Äcker, braune Äcker, grüne Äcker, hohe Weizenfelder und – kein Aussichtsturm! Ganz versteckt rieselt ein winziges Wässerchen, das auf der Karte mindestens lebensgroß gezeichnet ist.

«Und von hier aus, meine sehr verehrten Herrschaften, sehen Sie das idyllisch gelegene . . .»

– Was habe ich? Keine Ehrfurcht vor der Natur?! Stimmt . . . Ich finde sie herrlich und habe sie lieb. Und hast du schon mal erlebt, daß man vor Leuten, die man lieb hat, ‹Ehrfurcht› empfindet? – So. Leider nein? – Hör auf, alter Pauker, an dir ist ein Oberlehrer verlorengegangen, du solltest den ehrlichen Finder veranlassen, ihn gegen eine entsprechende Belohnung wieder abzugeben. Sieh mal da unten die ziegelrote kleine Kirche, steht das ganze Dörfchen nicht da wie frisch aus ‹Ankers Steinbaukasten›?

Das Mittagessen hat eine sonderbare Speisenfolge, nichtsdestoweniger: die Servietten hat sie nicht vergessen. Zum Nachtisch fördert sie mit großzügiger Geste eine Packung Mokka-Krokant, kläglich weichgeschmolzen, aus der Tiefe des ‹Rucksacks›. Da aber ist für ihn die Stunde gekommen, sie mit einer Tüte luxuriöser Frühkirschen zu verblüffen.

Es geht einem verdammt gut, wenn man auf so einer richtigen Wiese lang daliegen kann, Arme unterm Kopf, Nase in die Luft. Man kann die Beine baumeln lassen und den wolkigen Profilen am Himmel Namen geben, das zerfetzte da oben rechts mit der Papageiennase sieht aus wie die intrigante Kollegin aus Abteilung III, wenn sie wütend wird.

«Die mit dem gefärbten Haar?»

– «Ja, die!»

Es geht einem verdammt gut, wenn man auf einer richtigen Sommerwiese liegen darf, blauen Rauch in die Luft paffen und in engbeschriebenen Blättern kramen . . .

«Was liest du da? Mal sehen.»

Dieser Tag ist wie ein Blütenstrauß,
Schönstes Phantasiegeschenk der Träume.
Durch das Blätternetz erwachter Bäume
Wirft der Himmel blaue Bänder aus . . .

«Von wem?» fragte sie schnell. «Hübsch!» – Und dann, etwas kriegerisch: «Was ich daran hübsch finde? – Ist doch nett gesagt: ‹Durch das Blätternetz› . . . oder wie das so geht – ‹wirft der Himmel blaue Bänder aus›. Findstu nich? Na, dann versuch du mal, das schöner zu sagen, Herr Nörgler. Wie bitte? Das ist von dir? Na, nun laß mich aber, bitte, mal ernst bleiben. Fang nur an, poetisch zu werden. Fehlte gerade noch.»

– «Wenn ich gräßlich bin, kann ich ja gehen. Hast du eben das Eichhorn gesehen, klar war das ein Eichhorn!»

Dann gibt es Himbeerdrops und anschließend eine kleine Pause.

Himmel, Bäume, kleine Wolkenprofile, Gesurr zwischen den Halmen.

Sieh dir bloß mal den Himmel an!

«Mensch», sagt sie plötzlich, «Mensch, wenn du keinem was weitersagst, will ich dir was verraten: ich bin unverschämt glücklich.

Im Büro machen sie jetzt die Monatsstatistik, und ich liege da und knabbere Grashalme an. Diesmal schreibe ich keinem von unterwegs. Pah! – Höchstens 'ne Ansichtskarte für meinen Chef. War doch anständig, mir die drei überzähligen Tage glatt hinzuzuschenken, wie? Ich habe ausgerechnet, wenn wir die Zeit richtig nutzen, habe ich knapp 280 Stunden Urlaub. Allerhand, was? Die Nächte gar nicht mitgerechnet. Natürlich. Man schläft doch ganz anders ohne die Angst vor dem Wecker am Morgen.»

– Spät ist es geworden. Unten im Dorfe geht der Abend langsam durch die Straßen und rastet in den kleinen Gärten vor kalkweißen Häuschen. Geranien flammen auf vor winzigen Fenstern im letzten Schein der Sonne. Groß leuchten die gelben Scheiben der Sonnenblumen hinterm Zaun. Ein weicher Wind führt den Duft von Sommer und reifenden Früchten durch die Luft und macht so müde.

Im Gasthof ist niemand. Nur die rundliche Magd in blauem

Kattun zerreißt mit dem Klappern ihrer Holzpantoffeln die abendliche Stille. Die Milch im dicken Glas schmeckt kühl und echt. ‹Kuckuck› sagt eine altmodische Holzuhr an der Wand. Dann ist es wieder ruhig. Ab und zu fallen durch das geöffnete Fenster ein paar abgerissene Worte herein; Bauern sitzen mit der Pfeife auf der Bank vorm Haus.

Sagtest du etwas?

. . . Ein Tag ging vorbei. Der erste Tag. Vielleicht der schönste.

Kleines Liebeslied

Weil deine Augen so voll Trauer sind,
Und deine Stirn so schwer ist von Gedanken,
Laß mich dich trösten, so wie man ein Kind
In Schlaf einsingt, wenn letzte Sterne sanken.

Die Sonne ruf ich an, das Meer, den Wind,
Dir ihren hellsten Sommertag zu schenken,
Den schönsten Traum auf dich herabzusenken,
Weil deine Nächte so voll Wolken sind.

Und wenn dein Mund ein neues Lied beginnt,
Dann will ichs Meer und Wind und Sonne danken,
Weil deine Augen so voll Trauer sind,
Und deine Stirn so schwer ist von Gedanken . . .

Kompliziertes Innenleben

Hinter jedem Abschied steht ein Warten.
Wenn dein Schritt verhallt ist, sehn ich mich.
Wenn du kommst, ist jeder Tag ein Garten.
– Aber wenn du fort bist, lieb ich dich . . .

Manchmal seh ich auf zu Sternmillionen.
Ob das Glück stets hinter Wolken liegt?
Ach, ich möchte in den Nächten wohnen,
Wo kein ‹morgen› um die Ecke biegt.

Kommst du, sehn ich mich nach tausend Dingen,
Wächst der Abgrund zwischen dir und mir,
Spür ich altes Fernweh in mir klingen.
– Aber wenn du fort bist, gilt es dir.

Unser Schicksal lauert hinter Bergen.
Schönes Jenseits, das wir nicht verstehn.
Unsre Großen gleichen noch den Zwergen,
Und nichts bleibt uns als emporzusehn.

Gibt es Träume, die noch nicht zerrissen,
Gibts ein Glück, das hielt, was es versprach?
Ach, wir Dummen werdens niemals wissen.
Und die Klugen forschen nicht danach . . .

Damals hatten wir gar kein Geld mehr. Aber auch nicht einen Pfennig.

Das letzte Honorar war für Stefans Studiengebühren draufgegangen und neues war noch nicht in Sicht. Der Kaufmann hatte schon an zwanzig Mark von uns zu bekommen, und auch an der Waschanstalt gegenüber drückten wir uns seit Tagen scheu vorbei . . .

Ich war ziemlich hungrig und mißgestimmt nach Hause gekommen. Mein ganzes Essen waren zwei bunte Brötchen am Automatenbuffet gewesen, und wenn eine gebratene Taube versucht hätte, mir in den Mund zu fliegen, – ich hätte nicht nein gesagt.

Aber das kommt ja nur noch in ganz unmodernen Märchen vor.

Stefan hingegen machte es nichts aus, sich einmal nur auf geistige Genüsse einzustellen. Eine Pellkartoffel, sagte er, ist auch eine Gottesgabe. Er stand, wie immer um fünf, strahlend an der Haltestelle und winkte mir schon von weitem.

Es war ein trostloser Tag.

Seit Stunden schon schüttete der Himmel Regen, und immer, wenn man dachte, jetzt muß der Vorrat da oben doch endlich einmal aufgebraucht sein, – klatsch, kam eine neue Lieferung. Die Taxis patschten durch die Pfützen, und der Wind tat, was sich für einen ordentlichen Wind schickt: er heulte . . . Der Zeitungsmann vorm Café hatte sich mit seinem Kram in einen Hausflur geflüchtet. Da stand er nun, machte einen jämmerlichen Eindruck und ein schlechtes Geschäft. Der Eissalon an der Ecke lag einsam und verlassen da.

Wir schlurrten untergefaßt über den glitschigen Asphalt. Meine klatschnasse Baskenmütze hatte ich abgenommen, und mein weißes Sommerkleid hing traurig an mir herunter. – So liefen wir nach Hause . . .

Wir bewohnten damals noch bei Frau Meilich ein Möbliertes, wie es im Buche steht. Frau Meilich aber war eine liebe, brave Frau und das Zimmer sauber und billig. An die Plüschgarnitur mit den Häkeldeckchen hatten wir uns allmählich gewöhnt, und der Silberpokal mit der Widmung des ‹Putlitzer Sportvereins 1910› war in das Zimmer des neuen Mieters gewandert. Es war also erträglich. Besonders, da wir uns sehr wenig im Zimmer aufhielten, denn die Tage vorher waren noch herrlich gewesen.

Nun aber goß es in endlosen Strömen, die Fenster sahen verweint ins Zimmer, und das Elektrische entblößte unbarmherzig die spießigen Möbel einer verflossenen Epoche. Unsere tropfenden Sachen baumelten zum Trocknen, und das ganze Zimmer roch nach Warteraum . . . Stefan stopfte sich am Schreibtisch eine ‹Selfmade›. So hatte er die Zigaretten getauft, die er sich aus einer verdächtig nach Seegras duftenden Tabakmischung zurechtdrehte. Ich hockte zusammengekauert in einer Talmulde unseres hügeligen Sofas, Beine hochgezogen, Arme über den Knien, machte ein dummes Gesicht und dachte gar nichts. – Da man aber, wie Stefan behauptet, immer irgend etwas denkt (folgt eine gründliche Analyse des menschlichen Denkapparates), muß ich wohl an ein ganz bestimmtes Garnichts gedacht haben. So oder so: meine Gedanken waren durchaus nicht vergnüglich.

«Möchtest du eine Zigarette?» fing Stefan an.

Ich muß schon sehr unglücklich aussehen, wenn Stefan mir eine Zigarette anbietet. Er mag nicht, daß ich rauche.

«Danke.»

«Danke ja oder danke nein?»

«Nein!»

Lange Pause. Wir sitzen da und schweigen uns an. Es ist ganz still im Zimmer. Nur ab und zu schlagen vereinzelt ein paar Regentropfen an das Fenster. Das hört sich an, als pickten Vögel mit harten Schnäbeln an die Scheiben. Der Regen ist fort, nur von der Dachrinne kommen noch langsam ein paar schwerfällige dicke Tropfen wie Nachzügler hinterhergelaufen.

Wir gehen beide an das offene Fenster. Die Neunundsechzig klingelt über die Schienen. Der Himmel ist erdbeerrosa und hat ein paar helle Wolken vorgehängt. Ansichtskartenhimmel mit der Überschrift ‹Sonnenuntergang›.

– «Komm, wir wollen ein bißchen vors Haus, dann kann die schlechte Stimmung hier zum Fenster hinausziehen. Gute Luft ist auch für seelische Katarrhe gesund.»

Unten stehen die Häuser da, frischgewaschen, mit Fenstern,

blank wie Kinderaugen. Auf den klitschnassen Trottoirsteinen spiegelt sich ein bißchen Sonne, und es riecht wie nach einem Regen. Die Straßen entlang, vorbei an Schaufenstern: Trikotagen, Drogerie, Meyers Dauerwellverfahren, Schnellbesohlanstalt und ff. Delikatessen . . .

«Eine Flasche Wermut jetzt wäre gar nicht übel, was meinst du?»

«Ach was.»

«Sag, habt ihr als Kinder auch manchmal ‹Entsagung› gespielt? – Kennst du gar nicht? Na, da haben wir uns vor die verführerischsten Auslagen gestellt und, nach dem Muster Fuchs und saure Trauben, im Tone höchster Verachtung gerufen: ‹Schokolade? – Hi . . . mag ich nicht. Marzipan? – Pfui . . . schmeckt ja gar nicht›, und so bei vielen Leckerbissen. – Schade, daß man schon zu groß dafür ist . . .»

«Du, haben wir denn gar nichts mehr?»

– «Was meinst du . . . Geld?»

«Hm.»

– «Was meine Vermögensverhältnisse anbetrifft: Barbestand gleich null.»

«Das ist nicht viel.»

– «Nein . . . aber warte mal, mir fällt da ein, ich muß noch ein paar Briefmarken haben. Holla . . . schau her: drei à fünfzehn, eine Fünfer und fünf Achter – macht insgesamt neunzig deutsche Reichspfennige, was sagst du nun?»

«Her damit, es ist kurz vor sieben, vielleicht bekomme ich noch was dafür. Spring du nur inzwischen hinauf, das regnet ja schon wieder.»

Wie ich mit meinen Einkäufen die Treppe hinauf will, es hat gerade noch zu einem Achtel Kaffee, beste Mischung, und einer Büchse Milch gereicht, kommt Stefan heruntergesaust. In jeder Hand zwei Selterflaschen. «Weißt du, daß wir dafür nochmal vierzig Pfennig bekommen, – was bin ich für ein Finanzminister?»

Also rasch noch zum Bäcker.

Das wird ja ein Luxussouper heute abend. In der Kaffeemaschine dampft es schon, und durch das Zimmer geht ein Duft von ‹Zuntz sel. Wwe., erste Mischung›. Wie hübsch die gelben Tassen auf der blauen Decke. Gemütlicher als vorhin. Will ich meinen. Und da draußen gießt es.

Wir saßen sehr vergnügt zusammen und fanden den Kaffee vorzüglich und den Kuchen ausgezeichnet. Dann legten wir eine Reveller-Platte aufs Grammophon, hörten begeistert zu, und es war bezaubernd. Wir begannen einen Foxtrott als Kanon zu singen, gaben es aber bald auf. Das Grammophon krähte sich ganz heiser, und als wir schon nichts Vernünftiges mehr hatten, holten wir ein paar uralte Schlager vor und spielten sie zu Ehren Vater Meilichs, dessen Photographie freundlich von der Wand herunterschielte. ‹Oh, Katharina› und ‹Wo hast du denn die schönen blauen Augen her› und ‹Eine kleine Seeehnsucht› und ‹Valencia› und noch viel mehr.

Und der Regen draußen dachte gar nicht daran, aufzuhören, das pruzzelte nur so an die Scheiben. Die Nadel surrte auf den alten, abgespielten Platten, wir summten dazu, saßen da und waren glücklich.

Denn wir hatten uns sehr lieb damals . . .

Angestaubter Karneval . . .

Ich war ein samtener Page in Blau. Du trugst ein gewürfeltes Hemd.
– Als dann die Tanzmusik schwieg, hättest du's sagen müssen.
In der Garderobe zuletzt zwischen fremden Mänteln und Küssen
Ist alles so rasch vorbei . . . ! Dein Atem war wieder fremd.

Du bliebst nur: der Herr mit der Brille. Und alles schmeckte nach [Schluß.
Es war so schade um diese verlorene Februarnacht.
Ich weiß: auf dem Heimweg der Mond hat sich fast krummgelacht,
Als ich den Abschied ersehnte. – Wenn möglich: ganz ohne Kuß.

Die Straße war leergefegt und voll Nacht. Leis knirschte der Schnee unterm Rad.
In meinem Ohr war noch ein letzter Tango-Takt aus dem Ball
An diesem angestaubten Restposten-Karneval –.
Und ich stieg jene Nacht in mein Bett wie ein staubiger Wandrer ins Bad . . .

Lied zur Nacht

Nun geht der Tag zu Ende,
Schon schweigen die vier Wände,
Zum Schatten wird der Baum.
Laß in die Nacht uns münden
Und Herz zum Herzen finden.
Auf blassen Segeln schwimmt ein Traum.

Nun spür ich deine Nähe.
Daß dir kein Arg geschehe,
– So schlicht sei mein Gebet.
Die schwarzen Nachtgedanken,
Sie welkten schon, versanken,
Von deinen Händen fortgeweht.

Nun steigt auf Silberflügeln,
Aus roten Wolkenhügeln
Der späte Abendwind.
Laß drin uns Engel schauen
Mit gläubigem Vertrauen
. . . Wie einst das demutvolle Kind.

Für Einen

Die Andern sind das weite Meer.
Du aber bist der Hafen.
So glaube mir: kannst ruhig schlafen,
Ich steure immer wieder her.

Denn all die Stürme, die mich trafen,
Sie ließen meine Segel leer.
Die Andern sind das bunte Meer,
Du aber bist der Hafen.

Du bist der Leuchtturm. Letztes Ziel.
Kannst, Liebster, ruhig schlafen.
Die Andern . . . das ist Wellen-Spiel,

Du aber bist der Hafen.

Ein Abschied

Der Regen rauschte. Natürlich goß es nun in Strömen. Und das gehörte sich auch so, wenn Elert fortfuhr.

Fünf vor zehn. Um Zehn, sieben ging der Zug. Dann war es Zeit, in irgendein Café zu gehen. Darüber nachzudenken, was sich begeben hatte. Oder besser noch: rasch nach Haus in das Möblierte, denn trauern muß man immer allein.

Ines stand schmal und dunkel vor dem Abteil. Manchmal hob sie das Kinn empor zu Elert. Der versuchte recht sachlich auszusehen. Klopfte geschäftig den Staub von seinem Ärmel. Das wiederholte sich jedesmal, sobald er Ines' Augen auf sich spürte.

Der Lärm auf dem Bahnsteig schwoll an. Riesig wölbte sich die gläserne Kuppel über dem Grau der Halle. Aus verwirrend vielen Gängen flatterte es aufgeregt zu den Geleisen hin. Mitten unter all denen, die zielbewußt auf ihre Wagenplätze zusteuerten, stand Ines hilflos und verloren. Für jeden Fremden war sie eine junge Dame in dunkelblauem Kostüm und sportlicher Baskenkappe. Irgendein Mädchen, das einen guten Bekannten an die Bahn gebracht und nun auf das Lokomotivsignal wartete, um, gleich den anderen, mit einem hellen Taschentuch zu winken.

Elert aber wußte um die schmerzliche Blässe unter dem leichten Braun ihrer Haut. Er sah unmerklich mit Puder verwischte Spuren an den zartblauen Augenschatten. Niemals hatte er Ines in Tränen gesehen, so aber mußte ihr Gesicht sein, wenn sie geweint hatte. Ihre schlecht gespielte Kühle täuschte ihn nicht einmal darüber hinweg, daß die kleine blaue Kappe heute viel zu schräg über dem Scheitel saß. – Etwas, das Ines bei anderen Frauen stets als ‹scheußlich unternehmungslustig› abgelehnt hatte, wie wenig mochte ihr jetzt am eigenen Aussehen gelegen sein. Wenn sie in diesem Augenblick ahnte, welche Rührung er für das liederlich aufgeschobene Mützchen hatte. Ging es nicht an, das dumme kleine Mädchen da unten, diese lächerlichen fünfundachtzig Pfund, einfach zu sich heraufzuheben wie ein Paket, das man ins Gepäcknetz verstauen und behüten konnte? Warum machte sie es einem so schwer? – Oder sollte man ihr diese ‹Gleichgültigkeit› am Ende glauben?

Elert beugte sich über das Fenster. Elert zündete sich eine Zigarette an, und ohne daß er sich dessen bewußt ward, reichte seine Hand mechanisch das Zündholz hinunter zu Ines. Gehorsam blies sie das flackernde Flämmchen aus. Dabei gewahrte er im bläulich-gelben Lichtschein auf ihrem Gesicht ein halbes Lächeln. Nun lachte auch er. – War es nicht, als gäbe es in diesem Augenblick niemanden ringsum als sie beide? Als wäre dies alles gar nicht wahr: Bahnhof, Abschiednehmen und – konnte man's wissen – ‹letzter Akt› . . .

Rechts und links schwirrte geschwätzig Frage und Antwort zwischen heruntergeschobenem Abteilfenster und Bahnsteig. Zugverbindungen wurden besprochen, Alltagsdinge geregelt, das Leben ging weiter. Nur sie beide schwiegen hartnäckig und verplemperten das letzte bißchen Zeit, als gehörten ihnen nicht nur diese paar armseligen Minuten, sondern Stunden, Tage, Jahre. Dumm, so dazustehen und den Mund zu halten, wo so viel zu sagen gewesen wäre, spürte Ines. Dennoch wich sie dem prüfenden Blick Elerts aus und flüchtete mit ihren Augen auf das Riesenzifferblatt über dem Schild ‹Wartesaal›. Die klobigen Uhrzeiger kontrollierten erbarmungslos jede davongelaufene Minute.

Auch Elert sagte keinen Ton. Er mußte noch immer an das Zündholz von vorhin denken, das er, wie in früheren Tagen, hinübergereicht zu Ines. Und wie brav sie es ausgelöscht hatte.

Dabei fiel ihm manches ein . . .

Einer der frühesten Maitage. In ein winziges Dorf waren sie hinausgefahren zur Baumblüte. Da war er wieder, jener zaghaft-liebe Ton, in dem sie ihr ungewohntes ‹Du› versuchte. Und dann jenes ‹Laß mich das Zündholz ausblasen, ja . . .?› Keine Gelegenheit ließ sie sich entgehen. Und es gab viele ‹Gelegenheiten›, bei denen man sich etwas ‹wünschen› mußte, ob es nun um auszulöschende Zündhölzer ging oder um Schornsteinfeger, denen man am frühen Morgen zu begegnen hatte. Eine große Rolle hatten diese Orakel in ihrem Dasein zu zweien gespielt.

Ines kramte in ihrer Handtasche. Ines ärgerte sich. Sah Elert nicht, wie sie von der Welle der Hin- und Herjagenden fortgeschwemmt wurde. Wie sie sich mitten durch das Gewirr an ihren Posten vor seinem Abteil zurückkämpfen mußte. Nein, davon sah Elert nichts. Elert sah keine Bahnhofshalle, keine keuchenden Gepäckträger. Weit fort war er, in einer traumhaften Zeit, die lang zurücklag.

Mittsommer war das gewesen. Mond überm Meer, Stille. Er saß mit Ines auf einem kleinen Balkon an der Seeküste. Hinter einer hohen Glastür lag das Dunkel eines eleganten Hotelzimmers. Auf dem Fenster daneben erblickte man, wenn man sich umwandte, einen kleinen hellen Fleck, das war Ines' weißer Badeanzug, den sie zum Trocknen auf das Fenster ihres Zimmers gelegt. – Natürlich hatte sie darauf bestanden, ein eigenes Zimmer zu nehmen. Ihre Verlegenheit hatte sie hinter burschikos sein sollenden Bemerkungen zu verstecken gesucht. Das hatte ihn enttäuscht, obgleich er nichts anderes erwartet haben konnte.

Aber nun saßen sie nach einem sonnigen Tag am Strand ganz für sich auf diesem luftigen, kleinen Balkon, den weiße Blüten in Tonkästen einzäunten. Ines schwieg wieder einmal. Diesmal vor Entzücken. Tief in den Polstern ihres Sessels kauerte sie. Der bräunliche Schopf legte sich frei über das seidene Bunt der kleinen Kissen, die Elert aus allen Winkeln für sie herbeigeschleppt hatte. Wenn sie den Kopf hob, liefen die Schattenornamente ihrer Haarkringel und ein Stückchen Stupsnase über die Wand.

Es machte ihm fast nichts aus, daß sie kaum ein Wort sprach. – Sie war so anders heute. Vor ein paar Minuten hatte sie sich ganz unerwartet zu ihm gebeugt und ihm so eine Art Kuß gegeben. Er begriff sie nicht. Anscheinend hatte sie jede Kontrolle über sich verloren! Ihre Bewegungen waren von einer seltsam verhaltenen Zärtlichkeit, die ihn ganz unsicher machte und glücklich. – Nun war es an ihm, sich nicht anmerken zu lassen, wie sehr überrascht er war. Achtung, Elert, sagte er zu sich selbst. Man bittet, das Reh nicht zu verscheuchen!

Dieser erste Tag mit ihm, weit fort von Gewohnheit und Enge, hatte manches in Ines aufgerührt. Vielleicht hatte sie das morgen schon überwunden und – was der Himmel verhüten möge! – ihr übliches Gleichgewicht zurückerlangt. Elert mußte sich zusammenreißen. Er floh mit seiner Unsicherheit in eine kleine Komödie. Spielte sich und Ines ein kleines Theater vor. Mimte den großen Gentleman, der sonst durchaus nicht seine Art war. Läutete mit gespielter Blasiertheit dem Zimmerkellner – alles für Ines – und bestellte eine gewöhnliche Erfrischung mit den lässig-arroganten Allüren eines Großfürsten, der seiner Favoritin einen Stern vom Himmel auf diamantenem Tablett servieren läßt. Ines strahlte vor Vergnügen.

Es war an jenem Tage nichts gewesen, das sie nicht mit Dankbarkeit und Freude erfüllt hätte. Die erste gemeinsame Bahnfahrt. Das großartige Auto ins Hotel. Die livrierten Boys, die auf einen Klingeldruck gehorchten. Ines hatte die Fähigkeit, kleine unscheinbare Dinge so zu erleben, als ob sie werweißwas für Seltenheiten begegnete, kleines Nebenbei, das andere längst abgestumpft übersahen. Das Hotel war ein verzaubertes Traumschloß, sie selbst ein Tagelöhnerskind aus dem Märchenbuch. Wenn man die Wunder mit wachen Fingern berührte, würden sie einem unter den Händen zerfließen.

In der Stadt – das mußte eine andere Ines gewesen sein. Elert hatte Mühe sich vorzustellen, daß die verwöhnte kleine Prinzessin, die hier in weißflatternden Seidenhosen so selbstverständlich über kostbare Teppiche schritt, fünf Bahnstunden entfernt in der großen Stadt eine gefangene Büro-Sklavin war. – Ein glücklicher Gedanke war diese kleine Ferienreise gewesen. Wie hatte Ines zum ersten Male vor dem unendlich blauen Wasser gestanden. Wie hatte sie hinabgestarrt auf den hellflimmernden Schaum der Wellen, die sich am Küstensand brachen. Nichts weiter hatte sie hervorgebracht als die zwei Worte: ‹Das Meer›. Dann war es Nacht geworden. Zum erstenmal mußte er sie nicht vor einem häßlichen Haustor abliefern, nein, sie saßen eng beieinander. Unwahrscheinlich schöner Gedanke, der in Erfüllung gegangen war. Unten am Strand war es finster und still. Sie hatten ein langes Gespräch miteinander geführt, in dem es ungeklärte Dinge gegeben hatte, denen Ines auch jetzt noch auswich . . . Während sie verstummten, wurde das immerwährende Rauschen der Wellen wieder hörbar, ab und zu pladderte das Wasser um ein spätes Boot. ‹Das war ein Tag!› hatte Ines eben gesagt. Nun nippte sie vornehm an ihrem Glase, während Elert sich zum werweißwievielten Male von der herbduftenden Bowle eingoß, zartfarbene Pfirsichstükke schwammen darin. Dann und wann leuchtete ganz fern ein feuerrotes Pünktchen auf, ratterte etwas und verschwand.

– Das mußte der Bahnhof sein, dahinten. Wenn ein Windhauch das Haus berührte, zitterten die Glastüren eine Sekunde lang, dann aber wurde die Stille noch tiefer, als sie zuvor gewesen.

– Ines. Jetzt hatte sie ihre Augen zu, nicht aus Müdigkeit, nur weil es so schön sei, sagte sie. Elert nutzte den günstigen Augenblick und küßte jeden einzelnen ihrer schmalen Finger von der Spitze zur Handfläche hinunter, sie ließ ihm dieses Spiel, sie geruhte überhaupt, gnädig zu sein heute nacht, Königin Ines . . . Nur mußte ihr Page sich hüten, Grenzen zu überschreiten. Er kannte ihre überlegene Art, seine Leidenschaft für sie lächerlich zu machen, und diese Art konnte ihn zum Rasen bringen. Aber er bezwang sich. Diese junge Dame da neben ihm, die er verzweifelnd liebte, hatte nun einmal die Gewohnheit, das ungezogene Kind zu spielen, sobald sie fühlte, daß die Frau in ihr bedenklich nahe war. Sie neckte ihn mit verspielten kleinen Küssen, machte sich ein bißchen lustig über seine Glut, und dieser immerhin erwachsene Mensch Elert mit seinen großen Erfolgen ließ sich behandeln wie ein verknallter Primaner. Was blieb ihm anderes übrig als das Warten, an das er sich allmählich gewöhnt hatte. Er liebte dieses launenhafte Geschöpf. Liebte Ines unvermindert weiter, und wenn sie ihn heute nacht wieder fortschickte wie sonst. Wenn sie ihn morgen, übermorgen und alle Tage weiter foppen würde.

Dunkelblau schimmerte es überm Wasser. Es war spät geworden. Ganz warm war die Luft, die weißen Blüten dufteten, aus den Gläsern stieg Weingeruch. Elert stand wie ein Schatten im Dämmer zwischen Tisch und Balkontür. Er schien betrübt. Oder brütete er? Dann liefen wohl die beiden scharfen Linien wieder gleich einem Schienenpaar über seine Stirn. Viel war nicht gesagt worden an diesem Abend, und doch lag über dem Schweigen jetzt eine unfrohe Spannung. Trommelte Elert nicht wieder einen seiner Nervositäts-Märsche auf das Holz, dies war wohl die passendste Begleitung zur Melodie der Gedanken, die ihn jetzt bewegten.

Ob Ines nun das schlechte Gewissen plagte . . ., als ein paar Musik-Takte von der Hotelbar unten herauftönten, verbeugte sie sich in ihrer weißen Seide und bat ‹Herrn Elert› förmlich um einen Tanz. Das war ihr hoch anzurechnen. Mitten im schönsten Tango aber zog sie plötzlich den Kopf von seiner Schulter, deutete aufgeregt hinüber zum Bahnhof: ‹Elert, da . . . da!› Er sah hin. Zwei feuerrote Pünktchen trafen sich. Ratterten. Flitzten aneinander vorbei. Schon war es aus. ‹Wenn zwei Züge einander begegnen, muß man sich was wünschen›, wurde er belehrt. Ganz schnell solle er jetzt an seinen Wunsch denken, eh es vorbei wäre. Er tat es. Als er nach vorschriftsmäßigem Augenschließen Ines wieder ansehen durfte, sagte sie blitzschnell: ‹Ich weiß, was du dir jetzt gewünscht hast!› Da küßte er sie.

Diesmal war es keiner von den erlaubten Küssen zwischen Augenlid und Wimper. Ja, sagte er nun geheimnisvoll, sie habe tatsächlich seinen Wunsch erraten.

– «Und du, Ines . . .?»

Ganz fest spürte er ihre kühlen Arme um seinen Nacken und traute seinen Ohren nicht: *«C'est la même chose, Chéri . . .»*

Er begriff. Derartiges sagte sich leichter in ungewohnter Sprache. Das war so bei ihr.

Gott segne das Schul-Französisch, dachte er.

Dann trug er sie hinein.

Jawohl, Ines, auch so konntest du sein, dachte Elert. Zuweilen mußte man lange warten, lange werben um sie. Dann aber, mit einemmal, gab sie die ‹passive Resistenz› auf und wurde großzügig. Elert sah auf den Bahnsteig hinab. Ja, da stand sie noch. Langsam zerdrückte er den Rest der Zigarette. Diesmal klopfte er keinen Staub vom Ärmel. Ganz fest sah er Ines an, als sie zu ihm emporschaute. – Das mochte sie nicht erwartet haben. Die ‹Kleinmädchenröte›, die sie an sich so haßte, trat in Aktion.

Aus dieser Ines mochte ein anderer klug werden, er verstand sich nicht mehr auf sie. – War sie es denn nicht gewesen, die Verwirrung gestiftet hatte zwischen ihnen? Wer anders als sie hatte ihm denn noch gestern zugeredet, fortzureisen. Wie lange gedachte sie eigentlich noch, mit ihm Katz und Maus zu spielen? Er hatte viel Zeit damit zugebracht. Inzwischen hatten sie drüben nicht mehr auf ihn gewartet, den Bau hatte ein anderer begonnen.

Es würde schwer sein, Versäumtes nachzuholen. Hatte sie denn vergessen, was sie zu ihm gesagt: Das sei nichts für sie, ‹Männer, die über einer Mädelsgeschichte ihren Beruf vergäßen . . .›

Nun war sie gekränkt, daß er es wahrgemacht hatte.

‹Vielleicht bringe ich dich an die Bahn›, hatte sie gesagt. Und hinzugefügt: ‹Wenn meine Zeit es erlaubt . . .› Das hatte ihm wehgetan, obschon er verstand, daß es das sollte. Früher war *er* es gewesen, nach dem sich ihre *Zeit* zu richten hatte, ja, das war noch gar nicht so lange her.

War dies alles Theater? Und wenn es kein Theater war, warum ging sie nicht einfach mit? Was hielt sie hier? Wirklich nur ihre Liebe zu dieser häßlichen großen Stadt, in der man krepieren konnte wie ein Hund, ohne daß es einer merkte? Wirklich nur das ‹Glück› ihrer Selbständigkeit? Jener armseligen ‹Freiheit›, die ihr die selbstverdienten hundertzwanzig Mark am Monatsende bedeuteten. Er traute dem nicht so recht. Gab es nicht andere Gründe, die sie verschwieg. Was war es mit den geheimnisvollen Luftpostbriefen und Ferngesprächen, die sie zuzeiten so beunruhigten . . . Wirklich nur Spielereien? – Kein Wort von ihr darüber.

Nun, auch er konnte schweigen. Fragen war nicht seine Sache. Und jetzt reiste er einfach ab. Mochte sich alles ohne ihn weiterentwickeln. Vielleicht war sie in Briefen erwachsener. Vielleicht. Er würde versuchen, sich jetzt zusammenzunehmen. Soviel Schwäche konnte man vor sich selber nicht mehr verantworten. Dieses dumme Mißverständnis, das zwischen ihnen lag, ohne daß man es recht packen konnte, ein Nichts, geboren aus einem dummen kleinen Wort, das sich nicht mehr zurücknehmen ließ. Diese Geheimniskrämerei von Ines, all das Undurchsichtige, hinter dem vielleicht nichts steckte als die kindische Freude, etwas Verschleiertes für sich zu haben. Konnte man sie durchschauen? – Schien es nicht, als hätte sie zu Hause geweint, bevor sie hierhergekommen war, um die Gleichgültige zu spielen? . . . Aber hatte sie vielleicht nur ein einziges Mal etwas gesagt, woran man sich hätte klammern können, gestern noch, vor der Entscheidung? Nein. Das war Ines. Lieber die Zunge abbeißen.

Gekommen war sie. Dennoch.

Schreiben würde sie nicht. Wozu? – Das hatte ihm einen Stich gegeben! Nahm sie es doch so ernst? Also stand sie wirklich nur da draußen, weil es ihre Zeit ‹erlaubt› hatte. Nicht mehr? Nun würde sie auch das kleine Armband, das er für sie mithatte, nicht mehr freuen. Und er, dieser Schafskopf, hatte sich ausgemalt, was für Augen sie machen würde. Sofort würde sie den kleinen Anker am Schloß wiedererkennen, wochenlang hatte sie mit dem blinkenden Reifen im Schaufenster kokettiert. Und dann war er hingegangen, leichtsinnig, und hatte ihn gekauft. Das wollte er ihr noch sagen: auspacken dürfe sie erst, wenn er fort wäre. – Aber nun war es ja einerlei.

Warum nur, zum Donnerwetter, hatte sie geweint? Das machte einen unnütz sentimental. Und war doch gar nicht angebracht. Er sah absichtlich über das blaue Kostüm und die schräge kleine Kappe hinweg zum Wartesaal. Noch drei Minuten. Ines. Ines. Ines.

Es würde nicht leicht sein, ohne sie auszukommen. In den ersten Tagen standen zum Glück Konferenzen bevor, Kopfzerbrechen, ernsthafte Männergespräche. Heilsames Gegengift. Aber dann! Kein Telefongespräch am Mittag, keine Verabredung an der Normaluhr, kein Abend mit Ines . . . unvorstellbar! Würde sie ihr hastiges Abendbrot nun allein in ihrem traurigen Zimmer essen? Wer würde sich kümmern um sie, die so achtlos umsprang mit ihrer Gesundheit. Das beste wäre, alles rückgängig zu machen. Aussteigen, dableiben. Schluß. Und Anfang. «Ines», er winkte sie näher zu sich. Sie trat einen Schritt vor, sah ihn kühl fragend an. – Futsch war der große Anlauf. Noch eine Niederlage gefällig, Herr Elert? dachte er spöttisch.

«. . . Was ich noch sagen wollte, Innlein . . . da nimm!» Und er schob nur das kleine Päckchen in ihre Jackentasche, wobei er sich fast den Hals verrenkte. Sie dankte. Mit einem lieben Lächeln und dem wohlbekannten Flimmern in den Augen. Spielte mit dem bunten Bindfaden, befühlte das Seidenpapier fachmännisch von allen Seiten. Dachte aber nicht im entferntesten daran, das Päckchen aufzuschnüren. Das freute ihn. Benahm sie sich nicht wieder, als sei es abgemachte Sache zwischen ihnen? Und er hatte doch nicht einen Mucks gesagt. War es nicht wie früher, da sie so oft Gleiches gesagt, Gleiches getan hatten. Ob diese ‹Gedankenübertragung› auch weiter bestehen blieb, wenn man fort war?

Ach, es war schon eine schöne Zeit gewesen.

– Das war es mindestens!

Aber nun stand diese kindische Person steif vor ihm. In greifbarer Nähe und doch so weit. Wenn sie den Mund auftat, geschah es nur, um durch eine ernüchternde Bemerkung zu enttäuschen. – Daß er sich ja nicht einbilden möge, ihr fiele dieser Abschied schwer!

Mochte Elert sonst denken, was er wollte. Für sie blieb er, was er ihr gewesen. Wenn auch allerlei dazwischengekommen war. Das mit dem Doktor Jenssen hatte sie vielleicht doch ein bißchen zu weit getrieben. Elert hatte es gewurmt. Elert sagte: ‹Eifersüchtig . . . ich?› Aber das unnahbare Lächeln war nicht echt gewesen. Was ihr schon an diesem aufgeblasenen Doktor lag. Zehn Jenssen für einen Elert, jawohl. Aber das war ja nun ihre Sache. Oder sollte sie ihm vielleicht eine Liebeserklärung machen? Jetzt, nachdem er sie neulich so grob angefahren hatte. So dumm. Zehn Dutzend Jenssen für einen Elert. Aber nachlaufen würde sie ihm nicht, das solle er sich nicht einreden . . .

Ach, es war schon alles einerlei.

– Ob das zu sehen war, in den Augenwinkeln kratzte es so. Ganz schmal wurden einem die Augen. Sie steckte ihr langweiligstes Gesicht heraus. Ihr war elend zumut.

Pah, wenn sie wollte! Stand nicht noch der Zug? Ein Wort. Und sie wollte dieses Wort sagen. (– Ist das meine Stimme, die da spricht: ‹Elert, du . . .!›)

War das Ines? Elert horchte auf. Das verrückte kleine Mädel! Jetzt aber: Haltung bewahren! Nun war er es, der den Kühlen spielte. Sie waren einander ähnlicher als sie wußten. Daß seine grauen Augen vor Freude glänzten, konnte er nicht mehr verhindern, ihm ahnte vieles bei diesem sanften Vorstoß, aber seine Stimme behielt er in der Gewalt. Wie ihm das jetzt gelang, dieses verbindlich: «Jaaa, bitte . . .?»

Ines sah ihn betroffen an. – Er begriff: Nun war es falsch gewesen.

«Nichts weiter, Elert», platzte sie heraus, «ich wollte dir nur nochmal rasch Adieu sagen», und sie streckte ihm ihre magere braune Hand entgegen, atemlos und verlegen. «Es geht nämlich gleich los» mit einem tapferen Blick auf die Wartesaaluhr. Noch einmal blinkte die kleine Koralle an der rechten Hand, noch einmal sah er den kurzen Zeigefingernagel, abgestumpft vom täglichen Maschineschreiben ... Dann winkte sie kurz und raste zum Ausgang.

Der Blaue mit der roten Mütze brüllte etwas, das sicher ‹Einsteigen› heißen sollte. Wagentüren klappten. Elert hatte sich weit zum Fenster hinausgelehnt, er rief noch lange hinter Ines her. Seine leisen Worte vermengten sich mit dem langsamen Prusten der Lokomotive. Er sah die blaue Kappe zu einem Punkt werden, ganz, ganz fern, noch immer stand er am Fenster ...

Sie wußte es und drehte sich nicht um.

– Auf der Straße riß sie die kleine Kappe vom Haar. An der linken Schläfe tickte es wieder einmal so. Aus dem Spiegel über dem Pfefferminz-Automaten sah ihr ein erschreckend blasses Gesicht entgegen, ein Gesicht, das ihr entfernt bekannt vorkam. Diesen Zug an der Oberlippe hatte sie irgendwann schon erlebt. Ja, so ... damals war das gewesen. Daheim im Schlafzimmerspiegel. Als die Mutter gestorben war.

Draußen goß es noch immer in Strömen. Ines ging allein durch eine nachtdunkle Seitenstraße. Elert war fortgefahren.

Der Regen rauschte. – Und das gehörte sich auch so.

Sentimentales Sonett

. . . Nun hab ich keinen mehr auf dieser Welt,
Nicht einen lieben Ort, daran zu denken.
Wem sollte ich wohl jetzt noch Glauben schenken?
Nun gibt es beinah nichts mehr, das mich hält.

Es war so gut, der Tage kleines Leid
In deine stets bereite Hand zu legen.
Du warst mir Ziel auf allen meinen Wegen
Und Hafen meiner Seele Müdigkeit.

Ich suchte nicht mehr nach dem großen Glück,
Ich hatte fast gelernt, mich zu begnügen.
Da aber nahmst du mir mein kleines Stück.

Nun fühl ich, wie mein letzter Traum zerfällt.
– Zuweilen ist es gut, sich zu belügen.
Ich aber habe nichts mehr auf der Welt.

Konsequenz des Herzens

Ich bin nicht eifersüchtig von Natur.
Keine Spur.

Ach so, ja damals . . . Damals ja. Aber künftig
Bin ich vernünftig.

Du wirst es ja sehen.

Meinetwegen kannst du auch ganz alleine gehen.
Ich sage keinen Ton.

(Aber: treff ich dich mit der bemalten Person
Freundlich vorm Schotten-Café stehen . . .
Dann werd ich mich doch mal genötigt sehen,
Der Dame mit den gefärbten Tatzen
In vornehm-gepflegter Konversation
Die giftigen Augen auszukratzen!)

Die Sache mit dem Achtellos

«Das nimmt kein gutes Ende», sagt Stefan, als ich ihm von meinem Achtellos erzähle. Ich aber bin so vergnügt, daß ich mich auch nicht ein bißchen einschüchtern lasse. Erstens gehört dieser Ausspruch zu den Grundpfeilern seines Sprachschatzes, und außerdem hat er heute wieder mal seinen blassen Tag. Sie haben ihn da nämlich auf seiner Verbandstagung nicht wieder in das Komitee gewählt. Natürlich macht sich Stefan nichts aus derlei albernen Spießer-Ambitionen, pah, was liegt schon daran . . .

Aber: «. . . du verstehst, Liebling, eine Prestigefrage. Eine glatte Prestigefrage!» – Ob ich verstehe! Und ich werde mich hüten, zu widersprechen. Frauen haben zuweilen ihren Kleiderfimmel und Männer ihren Kummer über die Majorität der jeweiligen Opposition. Achtung: Selbstschüsse! Tausend Unfallmöglichkeiten im Verkehr mit den lieben Mitmenschen! – Da hilft nur eins: gut zureden.

«Stefan», sage ich, «laß du nur mal mein Los richtig rauskommen. Da pfeifst du auf deinen ganzen Prachtverband!»

Aber da habe ich verdammt schlecht gezielt.

– «Einen Begriff hast du von diesen Dingen!» Unerschütterliche Verachtung für das gesamte weibliche Geschlecht.

Ich aber bin heute nicht totzukriegen.

– «Junge», fange ich an, «dir ist jetzt nicht ganz himmelblau zumut, komm, ich spendier' uns was. Als Vorschuß auf das Große Los.» Und schon bugsiere ich ihn in die kleine Konditorei.

Er zündet sich geruhsam eine Zigarette an. Mit einer beleidigenden Blasiertheit.

Nach ein paar Anstandsminuten setze ich ein: «Merkwürdig, was? Ich hab' mir das Los überhaupt nicht vorher angesehen, und nun ist zweimal meine Glückszahl aus dem Horoskop drin . . .»

– «Schrecklich merkwürdig. Und das gibt dir die unumstößliche Gewißheit, daß du den Haupttreffer ziehst . . .», lächelt er – gelinde gesagt: ironisch.

«Unumstößliche Gewißheit? – Nein. Aber immerhin ein ganz angenehmes Gefühl», gebe ich zurück. – Ich weiß genau, daß ich mich mit dem Horoskop ein bißchen lächerlich gemacht habe, aber nun gerade. Stefan mißt mich mit einem Zeitlupenblick.

– «Nun hör' aber endlich mit diesem hirnverbrannten Unsinn auf. Das Horoskop hat dir gerade noch gefehlt.»

Ich: «Du kannst doch nicht leugnen, daß beinah alles gestimmt hat, die Charakterdeutung und . . .»

«Dazu hättest du aber nicht gerade zu diesem langhaarigen Sternen-Apostel rennen brauchen», unterbricht er mich bissig.

«Zu . . . zu rennen brauchen. – Von wegen des Infinitivs, verehrter Herr!» revanchiere ich mich prompt. Es hat gesessen. – Er winkt den Ober heran. Wir zahlen und gehen.

Draußen nimmt er meinen Arm, und ich denke, alles vergeben und vergessen. Unterwegs sortiere ich alle Glücksperspektiven eines Losgewinns und breite eine verführerische Musterkollektion aus. Er aber schweigt. Kühl wie ein Ehemann . . .

Vor einem märchenhaften Schaufenster lasse ich mich zu der protzigen Bemerkung verleiten: «Na, wenn erst meine Million gezogen ist . . .»

– Ach Gott, was soll man schon sagen, wenn so einer mit Weltuntergangsgesicht neben einem herläuft und den Mund nicht auftut.

Plötzlich aber tut er ihn auf.

«Deine Million? Bei einem Achtellos?»

– «Eine Achtelmillion ist auch was. Und Kapital wächst doch», renommiere ich.

«Und wie gedenken Gnädigste das Kapital anzulegen?»

«Das laß nur meine Sorge sein. Zuerst werde ich mal ganz übermütig und zahle meine Schulden. Alsdann sag ich zu meinem Chef in reinstem Geschäftsdeutsch –: ‹Bezugnehmend auf die letzthin mit Ihnen gehabte Differenz sehe ich mich genötigt, Ihnen meine unschätzbaren Dienste zu kündigen, und bitte ich Sie, mein letztes Monatsgehalt Herrn Erich Kruse gutzuschreiben.›

– Kruse, das ist nämlich der Junge aus der Expedition, der mir immer den Kaffee geholt hat . . .»

– «Geholt *hat* . . . ist köstlich!» äußert Stefan.

Aber ich bin nun mal mittendrin. «Dann fahr' ich ein bißchen rum um den Globus. Sonja bekommt ihr Grammophon, und dir schenke ich vielleicht ein Paar feine Glacéhandschuhe, auf daß du lernest, mit zarten Frauenseelen umzugehen . . .»

– «Du bist heute mit einem Esprit begnadet!»

«Und du mit einer Noblesse!»

– «Verstehe nicht, wie ein sozusagen erwachsener Mensch . . .»

«Nicht mal 'nen harmlosen Mumpitz gönnst du einem. Deine ‹Herzensbildung› scheinst du in der Garderobe abgegeben zu haben!»

– «Also, nun schimpf nicht gleich wie ein Rohrspatz. Wer hat sich nun eigentlich kindisch benommen?»

«Das fragst *du*? Ich finde das unglaublich. Und überhaupt . . .!»

– «Und überhaupt?»

Der Krach schien fällig gewesen zu sein.

. . . Oder war es wirklich nur das Achtellos?

Nun liegt es vor mir auf dem Tisch, traurig zerknittert, neben dem Portemonnaie, das gerade noch das Fahrgeld für morgen enthält. Die fünf Mark bin ich los. Stefan auch. Zumindest für unbestimmte Zeit.

Bleibt nur das Los.

Wenn man es sich so ansieht: warum sollte es eigentlich verlieren? Aber gewinnen? Nein. Mit dem Einsatz wird es herauskommen!

. . . Das sähe meinem Schicksal ähnlich.

Auf einen Café-Tisch gekritzelt . . .

Ich bin das lange Warten nicht gewohnt,
Ich habe immer andre warten lassen.
Nun hock ich zwischen leeren Kaffeetassen
Und frage mich, ob sich dies alles lohnt.

Es ist so anders als in früheren Tagen.
Wir spüren beide stumm: das ist der Rest.
Frag doch nicht so. – Es läßt sich vieles sagen,
Was sich im Grunde doch nicht sagen läßt.

Halbeins. So spät! Die Gäste sind zu zählen.
Ich packe meinen Optimismus ein.
In dieser Stadt mit vier Millionen Seelen
Scheint eine Seele ziemlich rar zu sein.

Nach einem Ferngespräch

. . . Natürlich, wie immer, zu früh abgehängt!
Und wieder, wie üblich, das Herz unterschlagen.
– Was kann man auf Anhieb Vernünftiges sagen?
Und Liebe per Fernruf, expreß: Nicht geschenkt.

Verschwendung! Am Mittwoch das Eiltelegramm:
‹liebst du mich drahtantwort stop› – Sehr lakonisch.
Und heut überfällst du mich gleich telefonisch
Zwischen Bürokrach und Stenogramm.

Sicherlich ahnst du nicht, was es bedeutet,
Wenn man latent an der Sehnsucht krankt,
Und unvermittelt das Telefon läutet:
«Sie werden aus Duisburg-Ruhrort verlangt.»

Und dann das Gestotter: «Wie geht es dir?» – «Gut.»
Folgt Liebeserklärung in knapp drei Minuten.
Von fern hör ich sanft schon das Fernamt tuten.
Du redest dich heiser. Ich schweig mich in Wut . . .

So, das wäre dieses. – Betrifft: ‹Eilbedarf›
Schreib auf ‹E. 2›. Die Reichspost ist so gründlich!
Doch, bitte, Liebster, grüß mich nicht fernmündlich.
Sonst häng ich ab. Wenn man so sagen darf . . .

Leises Sommer-Finale

Die letzten Wochen waren nicht schön gewesen. Oh, nein. – Es war gut, die Koffer zu packen und sich fortzumachen aus einer Stadt, von der nichts mehr zu hoffen, mancherlei aber zu vergessen war. Diese endlose Kette von immergleichen sinnlosen Tagen, in denen sich nichts änderte als das Datum, in denen nichts gedieh als das Grauen von morgen.

Und dann die Sache mit Michael . . .

Es war gut, die Koffer zu packen. Einen dicken Strich darunter.

Nun sitze ich hier seit einer Woche in einem winzigkleinen Fischerdorf, und der Tag hat wieder Morgen, Mittag, Abend. Und Nächte voller Sterne.

Am Tage liege ich im feinen gelben Sand und lasse mich von der Sonne durchglühen. Es gibt auch einen stillen kleinen Wald mit einsamen Wegen. – Aber nein, das ist das Beste, so in Sand und Sonne zu liegen. Allein und an nichts denken . . .

Abends stehe ich am Hafen herum, mitten unter alten Schiffen, und sehe zu, wie die Leuchttürme vom anderen Ufer buntaufflammende Funken über das Wasser schicken.

Schön ist die Nacht am Meer mitten auf der alten Mole oder allein auf einsamen Dünen. Die geflickten Fischernetze schaukeln leise im Wind, und es riecht ganz entfernt nach feuchtem Tang. Hier und da fallen mir ohne jeden Zusammenhang ein paar Verse ein, aber es wird nichts . . .

‹Ich heiße Michael . . .› – Damit hat es angefangen. Dies war der erste Eindruck: nettes Gesicht, anständige Augen, – aber dieser Zug um den Mund . . .

Deine Augen haben nicht Wort gehalten, Michael, und wenn ich hier an dich denke, sehe ich immer wieder jenen Zug um den Mund, der meinem Blick für lange Zeit entschwunden war. – Und was steht dazwischen. Ein paar Wochen nur. Und so viel . . .

Früher mußte ich viel daran denken. Aber nun liegt ja alles hinter mir. Zuweilen ist mir sogar, als könnte ich darüber sprechen; denn nun weiß ich: viele Dinge können nur nicht aus uns heraus, weil wir noch zu tief in ihnen stecken. Aber jetzt . . ., jetzt gehe ich neben mir spazieren und sehe mich selber an. Wie ein Fremder. Mal so von der Seite und manchmal auch von oben herab. Ich stehe nun, wie man so schön sagt, ‹über den Dingen›.

Und darum könnte ich vieles erzählen, Michael. Manches, das dir zuletzt unerklärlich schien. Und die paar ungesagten Worte, um derentwillen alles zu Ende ist. – Du würdest vieles verstehen, und es wäre nicht zu spät . . . Für dich, Michael. Aber für mich ist es ja nun wohl vorbei.

Gestern habe ich lange am Strande gesessen und an mancherlei gedacht. Plötzlich lag der Abend schwarzblau über dem Meer. Ich fühlte mich so allein. Mir war, als wäre die Sonne ertrunken.

Hier müßte man mit einem sein, den man liebt, dachte ich. Und ich bin von ihm gegangen.

Seit Stunden und Stunden regnet es. Bleigraue Nebelwolken kriechen aus dem Wasser und hüllen das ganze Dorf ein.

Ist die Sonne ertrunken? Es war ein langsames Abschiednehmen in den letzten Tagen. Ganz tot liegt der Strand da, und auch die paar jungen Leute aus der benachbarten Kleinstadt, die noch gestern in ihren bunten Strandkostümen Badegast spielten, sind heute früh abgereist.

Ja, nun will es wohl Herbst werden, sagen meine Wirtsleute.

Schwer hängen die Obstbäume voll süßer Früchte, und die Gärten leuchten weithin mit ihren frohen bunten Sommerblumen. Bald werden Blätter fallen. Eine leise Traurigkeit kommt schon jetzt über die Menschen.

Ich habe Angst vor dem Herbst . . . Jetzt müßte man fort, mitten aus dem letzten Leuchten des Sommers, ehe alles vorbei ist. –

Warum sitze ich noch hier?

Kalt ist es geworden.

Neblige Regenschauer haben den blauen Himmel verjagt. Nun hängen undurchdringlich graue Wolkenknäuel wie feuchte Watte über dem Meer. Breit, aufdringlich, trostlos.

Wo ist das kleine Dorf, wo der Leuchtturm vom Ufer drüben? Hat sie der riesige Nebelballen verschlungen? Wo sind die Sterne geblieben?

Das ist keine Nacht mehr am Strande, nur eine ewige Dämmerung.

Oben an der kleinen Fischerkate haben sie die Netze schon hereingebracht, und auch Schwarzweiß, der schielende Schäferhund, hat sich, den Schwanz beleidigt eingezogen, vor dem Regen geflüchtet. Nur ein paar verlassene Boote schaukeln noch einsam auf den Wellen hin und her . . . Ihre Nasen taucht der Wind tief ins Wasser, so daß sie von weitem aussehen wie blanke schwarze Wassertiere, die einer hier vergessen hat . . .

Lehmig aufgeschwemmt sind die Wege, und drüben am Wald hat der Sturm gestern nacht schon eine Handvoll Blätter heruntergepeitscht. Da liegen sie nun, spiegeln sich traurig in der Pfütze – und sind doch noch so frisch und grün . . .

Dieses Ahnen vom Welken der Wälder und Ersterben der Wiesen, von nebeldüsteren Tagen und endlosen trüben Nächten macht vergessen, daß es einen Frühling gegeben hat. Schon hat das Schweigen von Sommersende die Vögel befallen. Und auch die Menschen gehen stumm aneinander vorbei, als hätten sie sich gar nichts mehr zu sagen.

Sommer . . . Aus und vorbei!

Die Sonne kommt wohl noch mal ein bißchen zu Besuch, aber das wird nichts mehr . . .

Ja, nun will es also Herbst werden.

Heute habe ich zum letzten Male nach der Post gefragt. Aber du hast nicht geschrieben, Michael. Nicht ein Wort.

Wozu auch . . .

Es geht mich eigentlich auch gar nichts mehr an. Wenn ich es gewollt hätte, wäre es ja anders.

– Ich meinte nur so.

Es ist dieser Anfang vom Ende . . . Er fällt so schwer – das heißt, er ist noch ungewohnt. Aber es soll anders werden. Dazu haben wir die Koffer nicht gepackt.

Keineswegs!

Wozu wäre sonst wohl jene Stadt da, die mich ruft, jener Ort, der schon darauf lauert, all das auszulöschen, was noch so unnütz glimmt. Es wird schon werden.

Und daß du's nur weißt, Michael: Wir sterben nicht daran. Oh, nein!

Einen dicken Strich darunter . . .

Übrigens – jenes kleine Lied ‹Ich muß schon manchmal an das Ende denken›, ist noch gar nicht so alt. Es ist am letzten Abend in Cladow entstanden.

Wenn einer fortgeht . . .

Wenn einer fortgeht, gibt man sich die Hände,
Am Bahnhof lächelt man so gut es geht.
Wie oft sind unsrer Sehnsucht Außenstände
Mit einem D-Zug schon davongeweht . . .

Wenn einer fortfährt, steht man zwischen Zügen,
Und drin sitzt der, um den sich alles dreht.
Man könnte dieses ‹alles› anders fügen
Durch einen Blick, ein Wort vielleicht. – Zu spät.

Wenn einer fortfährt, geht das Herz auf Reisen
Und treibt sich irgendwo allein herum.
Es ist schon manchmal schwer, nicht zu entgleisen.
Die klügste Art zu reden bleibt doch: stumm.

Wenn einer fortging, kann man nichts vergessen,
Und jeder Tag ist ein Erinnerungsblatt.
Wenn einer fortgeht, braucht man nichts zu essen,
Man wird so leicht vom Tränenschlucken satt.

Wenn einer fort ist, gibt es Ansichtskarten
Und ab und zu mal einen dicken Brief.
Ein schweres Verbum ist das Wörtchen ‹warten›
Und ‹lebe wohl!› ein Schluß-Imperativ . . .

Ohne Überschrift . . .

Komm, laß die Tür mich leise nach dir schließen.
Der Tag war schwer. Mag er nun draußen stehn.
Laß nur den Regen ruhig weiterfließen,
Wir sind zu zwein. Was kann uns schon geschehn?

Laß andre schwärmen von dem Glanz der Sterne.
Mich freut schon, wie das Licht der Lampe fällt.
– Glaubst du es endlich nun, daß keine Ferne
Versprochnes hält?

Tat dir das weh? Hat uns der Herbst verändert?
Ja, unsre Träume welken mit der Zeit,
Und man begnügt sich mit der Wirklichkeit,
Wenn man ganz ehrlich durch die Jahre schlendert.

. . . Wie still! Der Wecker tickt nur, wenn wir schweigen.
Der einzge Baum vor unserm Fenster rauscht.
Und wenn man in den Hof hinunterlauscht,
Klingt's fern, als würde einer Chopin geigen.

Nein. Dummes Zeug! Es fiel mir nur so ein.
(Kein ‹Rückfall›, wie du meinst, in die Romantik!)
Das wird gewiß im Grandhotel Atlantic
Von nebenan das Kitsch-Orchester sein.

Ach, liefst du nur nicht mit nervösen Schritten
Von Wand zu Wand. Und ließest mich allein.
Wenn sich die Zwei in mir nicht wieder stritten,
Würd ich jetzt schweigen und dir nahe sein.

So geht der Abend wieder mal daneben.
Ein Kind darf sagen: «Wills nie wieder tun!»
Ich bin so müd von diesem bißchen Leben
Und habe nicht die Ruhe, auszuruhn . . .

Römisch Zwei

VON ELTERNHAUS UND JUGENDZEIT

Jetzt bin ich groß. Mir blüht kein Märchenbuch.
Ich muß schon oft ‹Sie› zu mir selber sagen.
Nur manchmal noch, an jenen stillen Tagen,
Kommt meine Kindheit heimlich zu Besuch.

‹Keinbahnstraße›

Was mich betrifft: ich liebe jene Gassen,
In denen man sogleich zu Hause ist,
Mit Mauern, die sich brav bekritzeln lassen,
Emailleschildern, drauf steht: ‹Berndt, Dentist›.

Gleich um die Ecke gibt es kleine Läden,
In denen es entfernt nach Seife riecht,
Und Treppenflure, die sich stumm befehden,
Wenn nachbarlicher Klatsch durch Ritzen kriecht.

«Die Tochter von dem Herrn aus Nummer Sieben,
Wo unsre Elli manchmal Treppen fegt . . .»
– Frau Witwe Neumann äußert sich erregt
Vor allem fände sie es übertrieben.

Auf Höfen krächzen Orgeln wie die Raben,
Vom Herzen das ein blondes Kind verlor.
Und wenn die Mädchen ihren Ausgang haben,
Dann gehn sie rasch ein bißchen vor das Tor.

Der Fleischer Brossat führt nur erste Ware.
In Mutter Schmitts Destille gibt es Bier
Und ferner das elektrische Klavier
Mit dem Vereinsraum für die Liebespaare.

Hier kennt man noch kein Tempo und kein Hasten,
Obgleich die Großstadt um die Ecke biegt.
Und wenn ein Auto übers Pflaster fliegt,
Getraut sichs kaum, die Stille anzutasten.

In Keinbahnstraßen geh ich gern spazieren.
Vor solchen Häusern spielte ich als Kind,
Die alt, verwaist und keine ‹Gegend› sind
Und nicht mal mit der Neuzeit kokettieren . . .

Wir vom Gartenhaus

... Jawohl, – ich wohne im Gartenhaus. Und ich möchte mit keinem tauschen. ‹Gartenhaus› – das macht sich nicht fein auf der Visitenkarte. Im Norden sagen sie sogar ehrlich ‹Hinterhaus›, aber hier im eingebildeten Westen, wo die Leute nicht schwitzen, sondern allenfalls noch ‹transpirieren›, im Westen wohnt man im ‹Gartenhaus›.

Und doch muß auch hier diese Sache irgendeinen Beigeschmack haben. Wie wäre es sonst möglich, daß meine Freunde, meine guten Freunde, die mich erst neulich in meinem Gartenhaus links eine Treppe besuchten, ihre Briefe noch immer adressieren: ‹Gartenhaus III Treppen›? – Gartenhaus scheint nur in Verbindung mit (mindestens) ‹III Treppen› denkbar zu sein, das schmeckt alles so ein bißchen nach ‹Poeten-Dachkammer›. Dabei schwöre ich, daß es bei mir vollkommen unromantisch zugeht, weder regnet es durch die Decke, noch liege ich – à la Spitzweg – unter einem schützenden Regenschirm auf einer elenden Matratze.

– Damit kann ich nicht dienen.

Ich lebe nun mal gern im Gartenhaus. Nichts weiter.

Ich will anderen die billige Ausrede überlassen, der Lärm der Großstadt hindere am ‹Schaffen›. Erstens gibt es für mich jene sprichwörtlich gewordene ‹Dichtereinsamkeit› zuweilen mitten in einer munter überfüllten Untergrund. Weiter wäre dies eine magere Ausrede in meinem Fall. Die Straße, in der ich nun hause, kennt weder Omnibus- noch Straßenbahnlärm, es ist die idealste Gegend, die man sich denken kann. Damit nicht genug, gibt es gerade vor meinem Hause allerechtesten Rasen, ein paar Bäume und Bänke, was in seiner Gesamtheit von Optimisten als ‹Park› angesprochen wird. Vermutlich läßt sich's also auch in unserem Vorderhause durchaus beschaulich leben und wirken. Nun aber, da mich das Schicksal ein zweites Mal ins Gartenhaus verschlägt, nun liebe ich seine Atmosphäre.

Aus meiner ‹möblierten› Zeit ist mir das feine Vorderhaus noch schwer in Erinnerung. Ich sehne mich durchaus nicht zurück nach protzigrotem Plüsch und falschem ‹echtem Marmor›, nach imitierter Griechenwandelhalle und grauen Gipsdamen hinter staubiger Palme. ‹Eingang nur für Herrschaften› . . . das verpflichtet so sehr.

Wie dürfte man es wohl wagen, durch ein so anspruchsvolles Haustor ganz rasch 'mal im Mantel ohne Hut zu schlüpfen. Derartige Unsitten passen höchstens noch zum Stil des Gartenhauses. Vor dem bescheiden schmalen Linoleumbelag in meinem Treppenflur braucht man sich nicht gleich zu entschuldigen, wenn man nicht jenen herrschaftlichen Damen gleicht, die schon am Vormittag in Pelz und bewundernswert rosig gemalter Gesichtslandschaft wie kostbare Puppen aus ihrer Marmor-Umrahmung steigen. – Wir vom Gartenhaus werden es nie soweit bringen.

Wir sind so wenig vornehm, daß wir selbst unsere Nachbarn richtig grüßen, wenn wir ihnen mit Einholenetz oder Aktenmappe auf der Treppe begegnen. Wir fühlen uns nicht so recht als Miets-‹Partei› mit Sitz und Stimme im Reich der Einwohner wie die ‹von davorne›. Wir sind so ein bißchen befangener, kleinstädtischer, ja es kann schon einmal vorkommen, daß wir uns soweit vergessen, einen zünftigen Schwatz mit der Portiersfrau abzuhalten. Und daß wir auch sonst völlig undiskutabel sind, beweist das nicht schon die Tatsache, daß wir uns bei Frau Becker aus dem Hochparterre nach Paulchens Masern erkundigen, obgleich wir einander noch nicht einmal vorgestellt sind.

Mit Fug fühlen sich die ‹Herrschaftlichen› über uns Gartenhäusler erhaben. Selbst der Portiersjunge hinter seinem Guckfenster betrachtet uns als Menschen zweiter Güte und läßt den ‹Nebeneingang› unberechtigterweise offenstehen, obgleich doch auch unser Gartenhaus im Mietsvertrag arrogant genug als ‹geschlossenes Haus› figuriert. Aber dieses gastliche Tor bringt uns täglich Besuch auf den Hof.

Wir brauchen nicht einmal auf die Uhr zu sehen. ‹Der Scheeerenschleifer ist daaa!› heißt halbelf. ‹Einkaufen von Lumpen, Flaschen, Papiiier!› hingegen ist schon unzuverlässiger. Im Vorderhaus gibt es nur das jämmerliche Gesurr von Fahrstuhl und Staubsauger. Bei uns im Gartenhaus aber ist was los. Uns wird die Straße frei ins Haus geliefert. Ziehharmonika, Gitarre und Wanderburschen-Chor zwischen Mülleimer und Teppichstange. Verschollene Dienstmädchenlieder aus Küchenfenstern, Tellergeklapper als Musikbegleitung. Jede Mädchenkammer hat ihre Spezialität. Während das Zimmermädel des dicken Opernsängers rechts zwei Treppen von der ‹holden Blum der Männertreu› begeistert ist, ergibt sich die Köchin des Nervenarztes im Erdgeschoß leidenschaftlich der ‹Waldesluhuhuust›. An stillen Sonntagabenden jedoch, wenn der ‹Ausgang› wieder einmal verregnet ist, erschallt zuweilen jene Moritat: ‹An einäm Bärg in einem tiefen Talee, da saß ein Mädchen an einem Wasserfallee, sie war so hold, so schön wie Milch und Blut, von Härzen war sie einem Räubär guut!› – Gesegnetes Gartenhaus!

Was nun den ‹Garten› angeht, der die Hauptaufgabe hat, die wenig repräsentative Bezeichnung ‹Hof› zu verdrängen, so bin ich auf sein Erscheinen gespannt.

November war es, als wir einzogen, und noch immer haben die Bäume eine peinliche Ähnlichkeit mit den Teppichstangen auf dem Hof. Aber – wenn erst das Beet mit den roten Begonien ‹rauskommt›, wenn die Hortensien und die angebliche Kastanie vor unserem Fenster erst ‹soweit› sind, dann haben wir es hier wie im Grunewald, sagt der Portier. «Denn wollnse janich mehr ins Freie . . .!» – Hoffen wir!

Einstweilen steht lediglich eine arg mitgenommene Laube in unserem ‹Garten›. Noch blühen nur bunte Wäschestücke auf dem Balkon, und das Stückchen Himmel über den Bodenfenstern sieht traurig aus, grau und feucht . . .

Gehen wir in uns. Begnügen wir uns vorläufig mit dem Blau der hellen Tapete, freuen wir uns einstweilen an dem Duft der Mandarinenschale und dem Grün der Zimmerlinde. Auch der Winter hat schließlich nur ‹auf Zeit› gemietet und muß seiner fristlosen Kündigung entgegensehen. Aber so um Pfingsten herum wollen wir uns wieder sprechen, ihr Großspurigen aus dem Vorderhaus. Dann ziehen wir uns zurück auf unsere Loggia ‹nach hinten heraus› zwischen Bohnenranken und ‹fleißigem Lieschen› und spielen Dorfeinsamkeit mitten in der Stadt.

Und wenn ihr beim Fünfuhrtee im eleganten Terrassen-Lokal ‹transpiriert› so gegen Juli, dann ziehen wir die rotgestreifte Markise schützend herab auf unseren Balkon und üben ‹wohnen›, wir vom Gartenhaus . . .

Agota

Agota wußte alles ganz genau.
Agota hatte dünne weiße Zöpfe
Und wusch so sanft des Freitags unsre Köpfe.
Agota, unsre alte Kinderfrau.

Agota trug ein grobes Leinenkleid
Mit einem buntverblichnen Bauernmieder.
Agota sang die kummervollen Lieder
So rührend falsch von sehr verschollner Zeit.

Agota stand mit Gott auf ‹du und du›.
Und wenn ihn unsre Bitten nicht erweichten,
Ging sie des sonntags rasch zum Sündenbeichten.
Das half im Nu.

Agota hatte keinen auf der Welt.
Sie liebte uns und Iwanow, den Kater.
Den hatte sie von ihrem sel'gen Vater
Als einziges geerbt. – Denn Hof und Feld

Die ließ sie ihrem Schwesternsohne Franz.
Sie hatte ihre Pflicht und ihre Bibel.
Zuweilen las sie mit uns aus der Fibel
Und spielte fromm mit ihrem Rosenkranz.

Agota kannte jedes Wunderkraut.
Und sah sie einen jener Stadt-Doktoren,
Gleich hielt sie jeden Kranken für verloren.
Rot wurde ihre pergamentne Haut.

Zuletzt fand sie: es gäb nichts mehr zu tun.
Kein Fleck im Kleid. Kein Lockenkopf zum Waschen.
Kein Fliedertee. Kein Loch mehr in den Taschen.
Kein Trippeln mehr in kleinen Kinderschuhn . . .
– Und Gott berief sie, endlich auszuruhn.

So um Dezember . . .

(Für Lee)

Weißt du noch . . .? In zarten Wattetupfen
Schüttete der Himmel ersten Schnee.
Puttel tat der Hals ein bißchen weh,
Und du hattest den Dezemberschnupfen.

Weißt du noch, es war so still im Zimmer.
Schularbeiten waren längst gemacht.
Überm Frost lag sanft Lamettaschimmer.
Beckers unten übten ‹. . . Stille Nacht!›

Weißt du noch, wir solltens noch nicht wissen:
Aus dem Schubfach rochs nach Marzipan . . .
Und wir ‹staunten› – schurkenhaft gerissen –
Als wir dann die ‹Überraschung› sahn.

Deine ‹Tilda› hatte echte Haare!
– Ach, und Pu, mein süßer Elefant,
Der so lang im Kaufhausfenster stand.
Mein war Pu! Und ich war sieben Jahre.

Nächsten Tag um vier war Schulaufführung,
Und ich machte mit beim Elfentanz.
Und ganz vorne saß der Onkel Franz
Und der sah mich in der Goldverschnürung!

Mutti lachte über die Frisur.
Vater brummte nur: «. . . Du eitle Ratte!»
Doch er sagte nichts zu der Zensur,
– Wo ich doch 'ne Vier in Rechnen hatte.

Abends gab es dann noch Tee mit Rum
Und das Glück im Märchen-Grimm zu lesen.
– Damals hieß man uns noch klein und dumm.
. . . ‹Groß› und ‹klug› ists nie so schön gewesen.

Apropos ‹Krach›

Wenn zwei sich zanken,
– Mit oder ohne Grund –
Gleich ist ihr Mund
Voll kalter Worte,
Ihr Kopf voll böser Gedanken.

Wenn zwei sich zanken,
Heißen die Schlanken:
‹Magere Knochen›,
‹Verfettet› – die Runden,
‹Derb› die Gesunden,
Die Großen: ‹lang!›

Streitsucht kennt keine Schranken.
Zank ist Gefecht.
Man kann sich zanken
Über Schiller, Liebe oder Kaffeeflecke.
– Feindlich sitzt jeder in seiner Ecke
Und hat recht . . .

Mädchen an der Schreibmaschine

Die Maschine heißt Continental, römisch zwei. Das Mädchen: Fräulein Siebert. Zumindest zwischen neun und fünf. Nach Feierabend gibt es auch einen Vornamen, – Inge, Lore oder Elisabeth. Von den zärtlichen Abkürzungen, die ‹Sein› Vorrecht sind, ganz zu schweigen. Die haben nichts zu suchen zwischen Stenogrammblock, Firmenbogen und Kohlepapier. Keine Privatgedanken in der Geschäftszeit, bitte sehr, sonst gibt's Tippfehler.

Unvermeidlich allerdings ist das Lächeln als Nachwirkung gewisser Telephongespräche . . .

Punkt neun beginnt der ‹Betrieb›. Neun Uhr zehn, ausgeschlafen oder müde, keinen geht das an, klappern die schmalen Finger des Mädchens schon herum auf der stählernen Schreibkiste. Tipp tipp tick . . . tipp tipp tick . . . ein sanftes Klingeln, ping. Wir zeichnen mit vorzüglicher Hochachtung . . .

Im ersten Brief kommt ein Gähnen auf je ein Komma. Beim zweiten beginnt man den Ärger über die prallgefüllte U-Bahn langsam zu verwinden. Beim dritten aber ist man schon ganz mittendrin.

Ja, es kann schon einmal vorkommen, daß man sich an der reinen Weiße eines knisternden Schreibmaschinenbogens über der Walze freut. Oder vielleicht über anderthalb Meter Sonnenstrahl, die durch das staubige Bürofenster auf die Tasten fallen, ein grellbeschienenes A oder Z, – es ist merkwürdig, wie einen derartige Lächerlichkeiten zuweilen froh stimmen können. An solchen Tagen möchte man fortwährend singen mitten im Büro, so ist einem zumute.

Aber man wird sich das verkneifen . . .

Der Chef.

Na!

Ganz unvorschriftsmäßig: keine Glatze, keinen ‹Bauch›, keine Zigarre. Mitte dreißig ist er und ‹leichtsinnig›. Jeden Mittag um zwei ruft die blonde Telephonistin aus der Zentrale in die Muschel: «Herr Direktor, Frau Gemahlin auf der vierten Leitung . . .» Sie ist gut informiert über das Privatleben des ‹Alten›. Erkennt jede Stimme. Todsicher. «Wenn ich reden wollte . . .» –

Aber darauf ist man als intelligente Sekretärin nicht angewiesen.

Wenn er ‹Kindchen› sagt und ‹Viel zu tun, Schatz›, so handelt es sich um ‹Frau Gemahlin›. Lächelt er jedoch verliebt in das Sprechrohr, spielt er verwirrt an der Telephonschnur, verlegen wie ein kleiner Junge, dann weiß man Bescheid und verdrückt sich leise, auf die Gefahr hin, daß man mitten im Stenogramm steckengeblieben ist. Wenn sie es wüßte, diese ‹Andere›, daß sie das Barometer ist für das gesamte Büro, sie würde sicher pünktlich anrufen, um jeden Tag auf ‹Schön Wetter› zu stellen.

So aber. Nicht ganz einfach . . .

Alle Chefs diktieren ein garantiert einwandfreies Deutsch, haben einen erstklassigen Stil, anerkannt, garantiert, unwiderruflich. Wünschen keinerlei Stilkorrekturen.

«Fräulein Siebert, zum Diktat!»

Schlachtruf.

Stenoblock, zwei messerscharfe Kopierstifte, rasch den Kamm durchs Haar, kein Kohlepapierfleck auf der Nase? Nein, sagt der Taschenspiegel, also los.

«Schreiben Sie!»

Alle Chefs diktieren ein einwandfreies Deutsch . . . erstklassiger Stil . . . (siehe oben!). Anerkannt. Garantiert. Unwiderruflich.

«. . . Und schrieben wir Ihnen letzthin auf Ihr Wertes vom 4. cr., daß Sie nicht akzeptieren müssen, wenn wir mehr wie die Konkurrenz in Rechnung stellen . . .»

Wünschen keinerlei Stilkorrekturen.

Auch wenn ein mittelkluger Quartaner schon begriffen hat, daß es nach dem Komparativ ‹als› heißt und daß . . . und daß . . . und daß . . .

Keine Stilkorrekturen . . .

Aber, armes Fräulein Siebert, schreibt das brave Mädchen gehorsam ab aus dem Stenogramm, dann ist er tiefgekränkt: «Dreimal in einem Satz ‹schließlich›. Fräulein Siebert, ich muß schon bitten . . .!»

Chefkrach, Kollegentratsch, nichts als Ärger . . .

Und sie stützt ihren Kopf verzweifelt in die Hände, Ellenbogen an den kühlen Lackrahmen der Continental römisch zwei. So traurig ist das Leben. So öde ist dieses Büro. Keinem geht es so miserabel wie mir. Für dieses lächerliche Gehalt. Und das Mädchen hinter der Schreibmaschine hat es gründlich satt. Macht ein Gesicht, das durchaus nicht zu dem lustigen Rot der neuen Bluse vom letzten Ausverkauf paßt. Und tut, als ob das immer so wäre. Und als säße es auf einer Insel mitten im Unglücksmeer, ganz allein mit seinen paar lumpigen Stenogrammen und seinem elenden Klapperkasten.

Vergißt, daß es einen Büroschluß gibt, Feierabend geheißen, Spazierengehen zu zweien, Arm in Arm mit schlenkernder Mappe und Stadtköfferchen, Warten und Erwartetwerden an der Haltestelle. Telephongespräche zwischen Frühstückspause und Lohnlisten, Wochenende in weißem Sweater und Seemannshose aus Leinen, Paddelboot X und Bücher, Frühling, Sommer und Herbst. Sechs schwarze Kalenderblätter und immer wieder das ersehnte rote. Leben am laufenden Band. Montag bis Freitag findet Alltag statt.

Sonnabend mittag um zwei aber fängt der Sonntag an . . .

in memoriam Emmerich Krause †

Wer hätte das gedacht vom Lehrer Krause!
Nun hat er sich tatsächlich umgebracht.
Der gute Kerl. Er hat so gern gelacht.
– Ich seh im Schulhof ihn zur großen Pause

Vergnügt das dicke Käsebrot verzehren
Und O-Bein-schlenkernd gehn. Sein Zeigefinger droht,
Weil Narrenhände Tisch und Wand beschmiern.
Nun ist er tot
Und kann auch nicht mehr Kunstgeschichte lehren.

Wer hätte es von Krause je geglaubt,
Daß er sich, statt mit Heftekorrigieren,
Befaßt' verderblich mit Philosophieren.
– Was ihm zuletzt auch den Verstand geraubt.

Es sind nach ihm jetzt trauernd hinterblieben:
Ein Gips-Apoll, ein seltenes Herbarium,
Kein Geld, sowie ein Goldfisch nebst Aquarium,
Ein Tagebuch in Samt. Drin steht geschrieben:

‹Oft bin ich nur per Zufall aufgewacht
Und mußte aus Versehen weiterleben.
Mir geht sogar das Sterben daneben.
Und ich hatte es mir so einfach gedacht.›

Wir Schüler standen um sein Grab erschüttert.
Ergriffen sprach sogar der Schul-Dekan.
Doch als die Pauker sich den Sarg besahn,
Da dachte das Kollegium verbittert:

‹An Menschen solcher Art ist kein Bedarf.
– Wenn einer seinem Schicksal fristlos kündigt,
Das heißt soviel: daß er sich schwer versündigt!›

Weil man ja nur auf Raten sterben darf . . .

Mädchen in den Flegenjahren

Dir zu Liebe könnt ich Pferde stehlen,
Dir zu Liebe beinah höflich sein.
Deinetwegen könnt ich mit Latein
Und dem ganzen Altertum mich quälen.

Dir zu Liebe könnt ich Hänschen Braun
Zwanzig und ein halbes Mal verraten,
In Ermanglung andrer Heldentaten,
Mich mit deiner ganzen Prima haun.

Dir zu Liebe find ich Goethe ‹trocken›.
– Ist mirs auch um *Wandrers Nachtlied* leid.
Deinetwegen fluch ich meinem Kleid
Und den gottverdammten Weiberlocken.

Dir zu Liebe lauf ich wie ein Junge
Ohne Hut und mit zerfetztem Knie.
Deinetwegen rauch ich heimlich ‹Lunge›
Und bin schwach in der Geometrie.

Heute müßt ich aus der Schule fehlen,
Denn mir tut der Hals so scheußlich weh.
– Doch ein Tag, an dem ich *dich* nicht seh . . .

Dir zu Liebe könnt ich Pferde stehlen!

Aus einem Familien-Album

a) Der Säugling

Da liegt er nun auf einem Eisbärfell
Und blickt so schüchtern auf den Photographen.
Er ist geneigt, ein wenig einzuschlafen . . .
Da aber wirds per Blitzlicht strahlend hell!
Ganz ängstlich öffnet sich der kleine Mund
Nur für die Dauer eines Augenblicks:

Dies ist das erste Bildnis des Herrn X.
Im Vollgewichte seiner sieben Pfund.

b) ‹Kinderbildnis›

Hier hat er seinen Sammetanzug an
Und so auf ‹Little Lord› frisierte Locken.
Als Photo-Hintergrund verwandte man
Etwas Gebirgslandschaft. (Wies scheint, den Brocken.)
Fürs Bild markiert der Knabe Reifenspiel
Und mittels Schaukelpferd den Rosselenker.

Auch zeigt sich schon so etwas wie Profil
Bei diesem später so berühmten Denker.

c) ‹Der erste Schulgang›

Der Kindheit Süße geht nun rasch zur Neige,
Und obiges Photo ist ihr letzter Rest.
Auf daß sich dieses hier ‹symbolisch› zeige,
Hält er die Zuckertüte bang gepreßt.

Der erste ‹Kieler› (blaugestreifte Hosen)
Wird bald mit Tintenklecksen eingeweiht.
Der Photograph hat für den Schul-Matrosen
Saisongemäß das schwarze Schild bereit:
‹Mein erster Schulgang›. Doch die Kindermähne

Ist kurz gestutzt trotz mancher Tantenträne.
– Papa war gegen solche Lockenwildnis.
Er wählt' zum Hintergrund die Springfontäne.
Dekorativ umrahmt sie dieses Bildnis.

Und eingehüllt in solches Panorama
Betritt der Knabe nun der Schulzeit Drama.

d) Das Brautpaar

Hier zeigt sich nun Herr X. als Bräutigam.
Er blickt mit Recht kühn, männlich und verwegen.
Jedoch die blonde Unschuld tut verlegen –
(Denn seinerzeit trug man als Bräutchen ‹Scham› . . .)
Eine geborene Schmidt aus Leverkusen,
Mit vielem Geld und wohlgeformtem Busen,
Trägt sie am Ausschnitt viele kleine Säume
Und in den Augen viel geheime Träume.
Sein Arm hält sie zu sich emporgehoben,
Indes der Gummikragen sich verschoben.
Er ist fürwahr ein imposanter Mann.
Sie hat das Seidne mit den Spitzen an
Und hält das Doppelkinn verliebt und steif.
Ganz ‹heimlich› schmückt sie schon der güldne Reif.
Der Strauß in ihrer Hand ist aus Papier.
Tot hockt auf Pappebäumen das Getier.
Und auf Geheiß des Meisters dieser Szene
Zeigt unser Paar ‹recht freundlich› alle Zähne.

Der Hintergrund – nach stundenlangem Zank:
Ein Schiff mit sehr viel Sonnenuntergang.

e) Familienbildnis

Und dieses ist, wie an den Rand geschrieben,
Herr X. im Kreise aller seiner Lieben:
– Mama, Papa als Silber-Jubilar,
Herr und Frau X., ein schönes junges Paar,

Die Tante Hilda, Fritz, ein blasser Knabe,
Und Vetter Paul mit dem Familienstabe.
Selbst Schwager Hugo glänzt im neuen Frack!
Bei Xens ist ein großer Freudentag:

Ein kleiner X.! Jetzt strahlts per Blitzlicht hell:
– Da liegt er nun auf einem Eisbärfell . . .

Auf eine Leierkastenmelodie . . .

Du kamst nur um einige Jahre zu spät,
Und ich konnte so lange nicht warten.
Alle Blumen, die ich, dich zu grüßen, gesät
Sind verwelkt nun in meinem Garten.

Tag um Tag, Jahr um Jahr hab ich nach dir gespäht.
Doch da warst du auf endlosen Fahrten.
Meine Sehnsucht verstummte, mein Lied ist verweht,
Und nun kommst du um einige Jahre zu spät,
Denn ich konnte so lange nicht warten.

Sag, wo warst du, als Frühling im Lande noch war,
Als das Glück vor den Toren noch stand,
Als die Tage voll Licht und die Nächte so klar,
Sag wo warst du, als ich frohe Zwanzig noch war
Und noch frei war mein Herz, mein die Hand.

Sieh, nun ist meine Liebe erloschen und müd
Wie die Sonne im Herbst, die nur scheint und nicht glüht,
Und es silbert mein goldenes Haar.

Laß dein Boot fest am Ufer, an dem es nun steht,
Denn nun kommst du um einige Jahre zu spät,
Und es wird nie mehr so wie es war . . .

‹Patience›

. . . Und wenn die letzten Seifenblasen platzen,
Wenn auch das letzte Los nicht mehr gewinnt,
Greift man zu Dingen, die verwerflich sind,
Und steigt zu Kartenfraun mit alten Katzen.

Es riecht nach Malzkaffee und Zwiebelspeise.
Du möchtest fort. Die graue Katze schnurrt.
Ein Pappschild protzt: ‹Dankschreiben höchster Kreise.›
Da kommt die Kartenhexe angeschlurrt.

‹Kreuz-Sieben›: Feindschaft. Eine blonde Frau.
Die große Reise – ‹Karo› – steht noch offen.
(Bei Pitt ist damals alles eingetroffen!)
Zwei Männer. Woher weiß sie's so genau?

‹Pik-As›: ein Geldbrief. Liebesglück bringt ‹Coeur›.
– Das mit der Liebe geht doch meist daneben.
Ein guterhaltnes Herz ist abzugeben.
Gelegenheit für einen Amateur . . .!

Die Zeiten, sagt sie, sind an vielem schuld.
Sonst aber steht viel Gutes in den Karten.
Vor allem drum empfiehlt sie: ruhig warten.
Wie wars: ‹Patience› . . . heißt das nicht auch ‹Geduld›?

Alle Mütter . . .

Alle Mütter waren einmal klein.
Kinder können das oft gar nicht fassen.
Wenn die Kinderschuhe nicht mehr passen,
Fällt es ihnen wohl zuweilen ein.
Große Kinder suchen fremde Gassen,
Mütter bleiben später oft allein.

Alle Kinder werden einmal groß.
Mütter können das oft nicht begreifen.
Kleines Mädchen mit den bunten Schleifen,
Spieltest gestern noch auf ihrem Schoß;
Kleiner Sohn, mußt du die Welt durchstreifen?
Mütter haben oft das gleiche Los.

Alle Stuben werden einmal leer.
Kahl der Tisch, verwaist und stumm der Garten.
Diele knarrt. Und Mütter schweigen, warten . . .
Manchmal kommt ein Brief von weitem her.
Stern verlischt. Und all die wohlverwahrten
Tränen tropfen ungeweint ins Meer.

Römisch Drei

VON DEN JAHRESZEITEN

Der Frühling fand diesmal im Saale statt.
Der Sommer war lang und gesegnet.
– Ja, sonst gab es Winter in dieser Stadt.
Und sonntags hat's meistens geregnet . . .

Zum Thema: Kalender

Hellblau Leinen mit Goldschnitt, – das war der letzte. Nun liegt der neue da: protzig Saffian in Taschenformat. Wartet auf Kritzel-Vermerke und Eselsohren. Vornehm weiß sind seine Blätter, fein glatt und schön neu ... Richtig befreundet wird man ihm erst sein, wenn er ein paar private Notizen und ganz persönliche Daten beherbergen wird. Dazu ist man einstweilen noch nicht gekommen. Vorläufig begnügt man sich damit, den eleganten Einband zu bewundern und – zwischen zwei Haltestellen – aus dem Kleingedruckten im Anhang ‹Bildung› zu schöpfen. Feiert noch einmal Wiedersehen mit den ‹deutschen Längenmaßen und Gewichten›, interessiert sich für Auto-Park-Geheimzeichen, die einen gar nichts angehen. – Wenn das nun 'mal drinsteht ...

Was mich anlangt, so stehe ich mit meinem Taschenkalender erst so um Ostern herum auf ‹Du und Du›. Es fällt mir noch immer etwas schwer, den anhänglichen Vorjährigen, der sich inzwischen ein ansehnliches ‹Innenleben› angemästet hat, einzutauschen gegen den Neuen, dessen Physiognomie noch ein ‹unbeschriebenes Blatt› im wahren Sinne ist. Ganz abgesehen davon, daß allein schon das Adressenregister des Vorjährigen eine regelrechte Autogrammsammlung darstellt, die man doch nicht einfach im Papierkorb beisetzen kann.

Und die rotangestrichenen Daten, die Likörmischungen und Zigarettenquellen, die man sich so im Laufe eines langen Jahres mühsam ersammelt hat? Kalender haben es manchmal in sich. Nicht etwa jene steifen Bürokraten unter den Tischkalendern mit ihren geschäftlichen Bürodaten. Diese indiskreten Blätter, auf denen es kaum noch ratsam scheint, auch nur die Anfangsbuchstaben Seines Namens zu notieren. Überhaupt: Tischkalender sind unpersönlich und zumeist auch ungefällig, reichen gerade noch für: ‹Gasrechnung bezahlen›, ‹Vorschuß abholen› und ähnliche nützliche Winke. Auch Wandkalender sind einem nie ergeben. Gehören einem nicht. Trotz gefühlvoller Winterlandschaft mit weißverschneiter Hütte und traulichen Lampenlichts, trotz des kunstgewerblichen Silhouettenhintergrundes ...

Der einzige Kalender von Charakter und Persönlichkeit ist nun einmal der normale Taschenkalender in Mittelformat. Nicht so groß wie ein halbes Poesie-Album und auch nicht so klein, daß er schon nach Eintragung der engeren Familiengeburtstage wegen Überfüllung geschlossen werden muß. Ein ordentlicher Taschenkalender hat ein umfangreiches Pensum zu absolvieren und muß so beschaffen sein, daß du dich gewissermaßen wie vor einem Umzug fühlst, wenn du mit Sack und Pack zu seinem Nachfolger übersiedeln mußt.

Aber laß nur . . . das geht dir schon noch auf, wenn du ihn einmal irgendwo liegengelassen haben wirst. Blättre nur ruhig in dem schäbigen Vorjährigen; (– sehr sanft bist du nicht mit ihm umgegangen, und auch die tägliche Berührung mit Schlüsselbund und Portemonnaie hat ihm nicht gutgetan), sieh dich ruhig noch einmal um in ihm, ehe du ihn ‹zu den Akten› nimmst. Ist er nicht wie ein Spiegel des vergangenen Jahres, wenn du richtig zu sehen verstehst? Hat er nicht alles mit durchlebt, ist es nicht Frühling und Herbst, Sommer und Winter in ihm gewesen? In den alten ‹Auerbach'schen Kinderkalendern›, – die ich einmal bei einer Nachbarin bestaunen durfte, damals, als wir Kinder waren und unsere Eltern uns selbst die auf grauem Kriegspapier gedruckten Kinderbücher nicht kaufen konnten, – gab es ganz vorn buntstiftfarbige Kalenderblätter, auf denen die Herren Monate, von Januar bis Dezember, in der sonderbaren Kleidung aufmarschierten, die in der Zeit, da jene Nachbarin ein Kind war, modern gewesen sein mag. Ich erinnere mich besonders gut an den grimmigen Herrn Dezember mit dem Eiszapfenbart und an den freundlichen Herrn Juli, der bemüht war, mit Hilfe eines komischgestreiften Badeanzuges die Wohltat des sommerlichen Freibades darzustellen. So waren sie alle sorgfältig bedacht worden, jeder Monat nach seiner Art, hübsch der Reihe nach. Denn es handelte sich um einen Kinderkalender, und da geht es allemal ordentlich zu.

Mit den Kalendern der Erwachsenen verhält es sich schon ein wenig anders, und es kann einem da wohl selbst bei ehrenwerten Bürgern geschehen, daß mitten zwischen den Blättern des holden Monats Mai eine durchaus regnerische Novemberstimmung herrscht. Hier sind die eingetragenen Notizen Wärmegrade, und jeder Tag hat sein eigenes Thermometer. – Was kann das schon beispielsweise für ein Mai gewesen sein, da selbst ein Sonntagsdatum einen so verschnupften Reim aufweist:

13. Mai

‹Meine Tage wurden leerer.
Doch ich habe nicht geschrieben.
– Ich bin nicht vom Stamme derer,
Welche werben, wenn sie lieben . . .›

In diesem Kalender scheint es überhaupt erst so gegen Ende September einen regelrechten Mai gegeben zu haben. Elfmal hintereinander der Vermerk: ‹8 Uhr 30 Minuten Café Wien, E. L.› – Wie aber muß es wohl damals um die Liebe zu einem gewissen Herrn Peter gestanden haben, wenn erst eine armselige Kalendernotiz auf ihn hinweisen muß: ‹27. September – Peter nicht vergessen!!!› Rot unterstrichen. Mit drei Ausrufezeichen! – Den Ausspruch unter dem 18. Juni: ‹Du gehst am Rande einer Watschen spazieren› dürfte Veronika aus Salzburg getan haben. Was aber mag ein dickgeschmiertes ‹Hurra!› mitten an einem Wochentag im Oktober zu sagen haben? Interessanter als die Notiz ‹Bembergseide 1. Wahl, matt sonnenbraun› ist der lyrische Erguß in Stenographieschrift:

30. Oktober

‹Ich stand mit der Hoffnung schon lang nicht intim,
Ich hab mir das Dasein übergesehen,
– Man sollte bescheiden und anonym
Seiner Zukunft aus dem Wege gehen . . .›

Sehr düster. Dennoch, die Seidenstrümpfe scheinen von haltbarerer Qualität gewesen zu sein als dieser Pessimismus: schon am nächsten Sonntag prangt im Kalender ein übermütiger Ausspruch mitten aus dem Rummel eines Kostümfestes. (Mit Lippenstift geschrieben infolge Abwesenheit der Füllfeder.)

So ging es zu. Draußen – und im Kalender. Hellblau Leinen mit Goldschnitt, du erhältst ein gutes Zeugnis ‹in Anerkennung treuer Dienste!›

Wird sich der ‹Neue› in Saffian bewähren?

Bewölkt, mit leichten Niederschlägen . . .

Auch dieser Sommer wird vorüberwehn
So sanft und still, als wär er nie gewesen.
Und wieder wird ein Wächter mit dem Besen
Im welken Park durch Blätterknistern gehn.

Auch dieser Herbst wird wie die andern sein.
So rollte manches Jahr sich schon zu Ende.
Bald starrt man wieder auf vier fremde Wände
Und regnet mit den Tagen langsam ein.

Schon schläfert sich das Leben winterwärts.
Wie träg die schrägen Regenfäden rinnen.
Sie fangen an, Melancholie zu spinnen.
Scheu wie ein Kind verkriecht sich unser Herz.

Stirbt nicht das Laub, wenn es auch farbig glüht?
Klagt nicht das Boot verlassen auf den Wogen?
Die allerletzten Rosen sind verblüht.
Der Sommer geht. Auch dieser hat getrogen.

Nun wird es Herbst. Was bleibt in unsern Träumen?
Ein Lied vielleicht. Ein Abendwind am Meer,
Das erste Rauschen in erblühten Bäumen
Und stilles Warten auf die Wiederkehr . . .

Erster April: Wir ziehen um . . .

Ultimo in der alten Wohnung.

Ratzekahle Schränke gähnen. Fenster starren trostlos ins Zimmer, kahl und nackt wie Augen ohne Wimpern. Fremd schälen sich die nackten Stubenecken hinter weggerückten Möbeln.

Letzter Morgen.

Frühstück wird heute nicht gegessen, sondern absolviert. Im Badezimmer trauert als letzter Rest aller Zivilisation eine einsame Zahnbürste. ‹Rumpelkammer›, höchstes Kompliment für den Wirrwarr, der unser Heim zu einer ungemütlichen Durchgangsstation, einem schlecht aufgeräumten Warteraum stempelt. Und was bleibt uns als das Warten auf die Möbelpacker?

Vor dem Schreibtisch liegt zusammengerollt der dicke Teppich und vor dem Bücherschrank die schmale Freundin, die große Helferin, angeblich versteht sie was vom Bücherpacken. Wer aber kauert schon seit einer Stunde vor den Kisten und hält literarische Kostproben ab?

Lutz, im weißen Leinenkittel, Schraubenzieher und Zange wichtigtuerisch in beiden Taschen, rast durch die Zimmer. Der Herr des Hauses spielt sich mächtig auf. Überall legt er ‹Hand an›. Die kleine Nofretete und die Obstkeramik haben's schon weg.

Beispielsweise: ‹Klirrrr . . .!›

«Lutz, was ist das?»

«Das . . . das war eine Chinavase.»

Lutz wird zum Chef der Scherbensammlung ernannt. Herrgott, soviel Glück gibt es ja gar nicht. Da, setz dich hin und schreib lieber mal die polizeilichen Abmeldungen aus. Wozu bist du Schriftsteller?

Trapp-trapp-trapp, klappert es die Treppe herauf. Die Packer. Im Türrahmen stehen sie. Ein großer Dicker und ein kleiner Dicker. Semmelblond mit braven Wurststullengesichtern und biervergnügten Augen. «Mojn!» Die Türe knallt.

Zwei blaue Leinenkittel mit groben Sackschürzen trapsen über den Korridor. Mustern fachmännisch kopfschüttelnd Glasvitrinen und Chaiselongue. Rücken hin, rücken her. Machen das Restchen menschlicher Behausung zu einem Speicher, in dem das gesamte

Mobiliar verrückt geworden ist. Dielen knarren, Decken zittern, Wände räuspern sich verdächtig.

Ein Ruck: «Eins, zwei, drei: hopp!» Rechts zwei Beine, links zwei Beine, das Büfett wäre draußen. Eins, zwei, drei . . . hopp! schon wandert auch der Schreibtisch aus.

Prinzip aller Möbelpacker ist: genau das Gegenteil zu tun von dem, was du möchtest. Du willst dich ein bißchen nützlich machen, man kann doch nicht immer so herumstehen. «Nee, Frolleinchen, det lassense man!» Du versuchst es mit platter Schmeichelei: «Hat wohl sein Gewicht, so ein Flügel, wie?» – Oho!

Der Riese sieht dich über Schulter und hochgestelltes Klavier hinweg verachtungsvoll an. Sein Blick hält Rendezvous mit dem seines kleinen Kollegen, der genau weiß, wie man sich in solchen Fällen zu verhalten hat. Der Blick echot. Verschwindet der Große jedoch einen Augenblick nur aus dem Zimmer, so verwandelt der Kleine sich in einen gemütlichen freundlichen Patachon. Nach der zweiten Havanna schon erklärt er sich bereit, das Teeservice umzupacken. Obgleich dies, wie er trinkgelddurstig bemerkt, keineswegs zu seinen Pflichten gehört.

Unten vorm Eingang wartet der Möbelwagen. Gelblackiertes kleines Haus mit einladenden Toren. Die Kinder von nebenan flattern jedesmal auseinander, wenn der Riese aus dem dunklen Schacht des Hausflurs auftaucht, einen Koffer auf dem Rücken, eine Kiste rechts und einen Hocker im linken Arm. Über den struppigen Schnauzbart hinweg brüllt er regelmäßig: «Wollta woll allewern, Rasselbande!»

Der Rasselbande macht das heute nicht allzuviel aus. Soll sich man nicht so dicketun, der. Stehn ja genug Klamotten auf der Straße. Drüben ziehn sie aus, und nebenan warten sogar drei Möbelwagen.

Nochmal ein Blick in den Wagen. Na, Lutz, noch was zurechtschieben? Noch was umstellen?

Inzwischen hat sich oben allerhand ereignet.

Der Riese und der Portier sind von den ersten feindlichen Annäherungsversuchen zur Offensive übergegangen. Kriegsschauplatz: der Treppenflur. Verletzte: keine. – Und was kann so eine kleine Flurlampe schon kosten?

Gleich darauf erkundigt sich Frau Regendanz vom dritten Stock, ob nicht etwa der braune Holzaufsatz, den der Kleine sich zum Spielen mit heraufgebracht habe, zu unserer Couch gehöre. Nun kommt nur noch die Zeitungsfrau kassieren, und dazwischen wimmert das Telephon.

Patachon stolpert über einen Läufer und gerät in eine Auseinandersetzung mit seinem – man muß schon sagen: Komplicen. Der bufft den Kleinen mit der Ellenbogenspitze ins Genick, setzt den Beethoven sanft wie einen Säugling auf den Boden. «. . . Wo soll'n nu der Jipskopp hin?»

Immerhin sind so nach und nach zwei Zimmer in den Wagen gewandert. Ein ‹Mollen-Vorschuß› bewährt sich als Tempoverstärker. Der Alkohol, Schutzgeist der Packer-Innung, scheint alle Berufstugenden zu wecken. Rasch und beinahe ohne Zwischenfälle leeren sich die Räume bis auf die letzte Gardinenstange.

Nun steht nur noch der Gasometer einsam und verlassen im Korridor.

Du bist unwiderruflich ausgezogen. Morgen schon wird ein anderes Schild neben der Klingel hängen.

Und wenn du später mal von dieser Zeit erzählst, wirst du beginnen: «Damals, da wohnten wir noch . . .»

Kalender-Verse

Januar

Man wird so leicht nicht wieder froh,
Wenn man erst traurig ist,
Und wenn man das, was man vermißt,
Auch endlich wieder mal vergißt.
Man wird so leicht nicht wieder froh.
Das ist nun einmal so.

Mai

Man ist nie wieder so verliebt
Wie grad in diesem Jahr.
Und scheint auch manches wunderbar,
Es wird nichts, wies schon einmal war.
Man ist nie wieder so verliebt.
Das ist nun einmal wahr.

September

Man kehrt so leicht nicht mehr zurück,
Wenn man erst draußen stand.
Man gibt sich kühl und fremd die Hand,
Als hätte man sich nie gekannt.
Man kehrt so leicht nicht mehr zurück.
Das ist ein Tatbestand . . .

Brief ins Blaue . . .

Ich schicke einen Brief hinaus in den Frühling an Irgendeinen, den es vielleicht gar nicht gibt. Das Papier, das ich mit meinen steilen Lateinbuchstaben bemale, ist kein Bütten. Und ich kann mich sogar an Zeiten erinnern, da ich meine Briefe an postalisch einwandfreiere Adressaten zu richten pflegte . . .

Ich gehöre nicht zu jenen, die immer gleich ihre ‹Gefühle› bei der Hand haben. Und doch: mit dem Strauß gelber Himmelschlüssel hat es angefangen. Ihr würdet mich auslachen, wenn ich euch einreden wollte, daß mich jener ganze Frühlingstag mitsamt seinem Sonnenschein, Himmelblau und sonstigem Zubehör kurzgesagt einen knappen Pfiff anging und daß mir erst am späten Abend, als ich mich aus meinem Zimmer in den dämmerigen Schacht des Hofes neigte, der Frühling begegnete. Am Fenster stand ich, der Tag hatte sich aus dem Staube gemacht, und ein paar armselige Lichtsträhnen, Überbleibsel der fortgehenden Sonne, – nicht der Rede wert – lagen unten verstreut umher. Ich weiß noch, daß ich gerade mein Frühjahrskopfweh hatte, ich steckte den Kopf weit ins Freie hinaus, – nicht etwa, daß mir, außer an den paar Zügen Luft, noch etwa an ‹Abendstimmung› oder sonstigen ‹Eindrücken› gelegen war, nein, ich hatte die Tage vorher Eindrücke genug gehabt . . . Ich kann mich genau darauf besinnen, daß ich selbst das silbrige Flattern eines ersten Schmetterlings über dem Gitterbalkon gegenüber ganz trocken zur Kenntnis nahm, mir war gar nicht so. Ich stand allein in der abendlichen Stille meiner Stube und horchte in den Hof hinunter. Türenknarren, Verhallen von Schritten. Fenster waren breit aufgetan, Teller klapperten hinter Gardinen, mit denen der Wind spielte, es war Abendbrotzeit. In Vorderhaus und Seitenflügel saßen nun brave Familien und gingen programmgemäß zu Tisch. Stühle rückten hin und her, Löffel klirrten, manchmal fiel ein halber Satz zum geöffneten Fenster hinaus. Nacht war es noch nicht, die Sonne war noch nicht ganz fort, und der Mond noch nicht ganz da, so eine Stunde war das; aber die Braven in ihren Stuben hatten alle schon das Elektrische angeknipst, ihre Ordnung wollten sie haben, sie liebten kein liederliches Halbdunkel . . . Der Abend war wie tausend andere, ein ganz und gar gewöhnlicher Frühjahrsabend, ein Dutzendprodukt in der Tageszeit-Fabrik des lieben Gottes, und der hatte sich bei seiner Herstellung sicher nicht gedacht, daß da unten irgendeinem Nichtsnutz gerade an diesem lächerlichen Exemplar von Abend aufgehen könne, es sei Frühling geworden.

Die Tage vorher hatte ich gar nicht bemerkt, so hatte ich an ihnen vorbeigelebt. Wolkenloser Himmel, Wärme und Licht, – die Erfüllung meiner winterlichen Hungerphantasien, dies alles hatte ich gar nicht wahrgenommen. Aber nun, da ein solcher Tag zu Ende ging, jetzt, da das Gewicht hochgereckter Hinterhäuser und die Armseligkeit der paar Quadratmeter Himmel über den Dächern sich schwer auf mein Herz legte, nun wachte ich auf. Und alles kam wieder hervor, was ich während der letzten Wochen in die unterste Schublade meiner Seele hineingestopft hatte . . .

Ich weiß nicht mehr, ob die Vögel an jenem Abend vom Park herüberzwitscherten, es war wohl so, ich hörte sie nicht, aber als nun ein Kind begann zu singen, ein billiges kleines Gassenlied mit seinem rührend mageren Stimmchen, da kam unendliche Traurigkeit über mich. Ausgestoßen war ich und verlassen . . . Das bohrte sich ein, als wollte es sich häuslich einrichten bei mir wie früher schon.

Nein, sagte ich zu mir, – ich war allein mit meinen nackten Wänden und Möbeln – nein! sagte ich herausfordernd. Aber es war lächerlich, so hatte es immer angefangen. Es war also wieder einmal so weit. Die letzten Wochen krochen an mir vorüber, das vergangene Jahr, alles nutzlos. Was ich getan, hätte ich lassen, was ich gelassen, hätte ich tun sollen. Vorbei . . .

So meldete sich der Frühling bei mir an. ‹Frühlingsanfang!› Trostlose Haltestelle auf der Fahrt ins Jahr . . .

Ein solcher Abend war das. Und man konnte ihn nicht einfach aus dem Kalender reißen, denn es gibt keine Tabletten gegen die Schmerzen in unserem Innern.

Heute aber . . . wenn ich heute morgen ein Blatt aus meinem alten grau-marmorierten Schuldiarium mit dem weißausgebogten Etikett ‹Aufsatzheft› herausgerissen habe, um einen Brief zu schreiben, so ist das nichts als eine Frühlingsmorgen-Spielerei. Heute kann es sogar vorkommen, daß ich vor lauter hellen Sonnenkringeln auf dem blaulinierten Schreibpapier und meiner alten Tapete vor Übermut zu pfeifen anfange. Ich will nicht verschweigen, daß ich heute früh über den ersten Flieder auf einem fremden Balkon leise gelächelt habe, als wären gewisse Abende begraben, fern. Jenseits des Ufers, auf das mich dieser Tag gerettet hat. Und es ist nicht ausgeschlossen, daß ich heute ein verwegenes Sommerkleid anziehe, nur so für mich. – Wer weiß, ob mir nicht, wenn ich an diesem Abend an mein Fenster ginge, so ein Gedanke durch den Kopf schwirrte von Sommer, blauen Seen und Wanderrast unter blühenden Bäumen.

So ein Tag ist das, heute.

Ich habe den ganzen Vormittag lang fast gar nicht mehr an einen bestimmten Brief gedacht. In den frühesten Morgen hinein hat mir einer sogar einen frischen Strauß gelber Himmelschlüssel geschickt, und ich habe nicht einmal gefragt, von wem sie waren. – Obgleich . . .

Ich schicke einen Brief hinaus in die Welt an Irgendeinen, der vielleicht gar nicht an mich denkt. Aber ich, ich will ihn grüßen um seiner Abende willen, da er an geöffnetem Fenster vor traurigen Häuserschächten steht, um jenes ersten Flieders willen, der ihm auf fremden Balkonen blüht. Für ihn kritzle ich meine mageren Buchstaben auf das letzte Blatt jenes Schulheftes, das einst die Gedanken eines behüteten Kindes aufgenommen hat, eines Kindes, das nicht mehr glücklich, sondern erwachsen ist.

Ich schicke diesen Brief hinaus an jenen Einen, von dem ich noch immer nicht weiß, ob ich ihn getroffen habe . . .

Herbst-Melancholie

Mir welkt kein Garten.
Ich habe keinen.
Kein Haus, durch das Oktoberwinde weinen.
Mir tut das schwärzeste Gewölk nicht weh,
Weil ich so selten nur den Himmel seh.

Ich ziel nicht mehr auf goldne Himmelssterne.
Mich tröstet eine kleine Gaslaterne.
Mich täuscht kein Glück, enttäuscht kein Warten.
Mich schmerzt kein Herbst,
Mir welkt kein Garten . . .

Ein vertrödelter Sonntag

... Eigentlich weiß ich nicht recht, warum ich an jenem Sonntag zu Haus geblieben war. Ich hätte mich doch mit Jenssen oder schlimmstenfalls mit Flix verabreden können. Aber, weiß der Himmel, auf Jenssens Gesellschaft hatte ich so gar keinen Appetit. Und Flix? Mit Flix war ich letzten Sonntag erst in Grünheide gewesen, und das hielt noch ein bißchen vor. Die ‹Zwillinge› saßen schon an der Ostsee, alles übrige hatte Ferien gemacht ...

Und so war es wohl gekommen, daß ich auf dem Heimweg von dem kleinen Chinesischen, in dem ich zu Mittag gegessen hatte, plötzlich beschloß, einmal nur mit mir selbst zusammen zu sein.

So gegen zwei war's wohl, als ich aus der U-Bahn heraufkroch. Eine Morgenausgabe wollte ich mir noch kaufen, aber der Kiosk hatte zu. Also nicht.

Nun könnte man ja wohl programmgemäß erzählen: ‹Totenstill lagen die Straßen da. Sonntag! Die Häuser schliefen, und die Läden hatten frei.› Und so weiter ...

Könnte man erzählen.

Aber das wäre glatt gelogen.

Nein, es war keineswegs sehr sonntäglich da draußen. Die Leute rasten über den Damm wie an einem ganz gewöhnlichen Donnerstag; lag das nun am Wind, der etwas übertrieben um die Ecken jaulte, oder hatten es diese Menschen auch sonntags eilig? Der Zwölfer-Omnibus ratterte wichtigtuerisch durch die Gegend, und die Elektrische namens Westend trottete brav hinterher. Alles wie sonst. Höchstens, daß die paar übriggebliebenen Fahrgäste auf der Plattform statt der täglichen Aktenmappen ein paar kümmerliche Blumensträuße in der Hand hatten.

‹ff. Vanille-Eis. Halbgefrorenes!› offerierte das bunte Plakat am Eissalon. Aber die leichten Sonntagsfähnchen der promenierenden Fräuleins mit dem guten Strohhut waren eine Vorspiegelung falscher Tatsachen an diesem eingeschobenen Herbsttag mitten im Sommer. Ich fühlte mich durchaus wohl in meinem grauen Flausch, ich hatte meine Erfahrungen mit dem Barometer ...

Da stand ich nun, klimperte ein bißchen mit den Schlüsseln in meiner Tasche und verspürte noch gar keine rechte Lust, hinaufzugehen zu mir selbst. – Man könnte vielleicht einen kleinen Trip durch die Siedlung machen, an den Feldern vorbei, schlug ich mir vor.

Die Felder . . .! Wie großartig sich das anhörte. Ja, also gehen wir mal ein bißchen durch die Felder.

Vorbei an der russischen Konditorei mit den gediegenen Vorkriegs-Plüschportieren, vorbei am Modesalon ‹Yvonne› nicht ohne den üblichen Blick auf das Himbeerfarbene, das ich mir nie werde kaufen können. Sonntäglich schlummert die Discontobank nebst Kapital und Reserven, verbindlich lächeln die Friseurpuppen, obgleich sie heute gar nicht dazu verpflichtet sind, dienstfrei haben sie. Eine mutige Kurve um den Schokoladenautomaten rechts an der Ecke, anderthalb Querstraßen links herum, und schon bin ich im Freien. Soweit vorrätig. Ein paar Bäume, ein Restbestand Spree, eine Portion Rasen, Stückchen Himmel und kein Zaun. Die Anlagen sind ausnahmsweise nicht ‹dem Schutze des Publikums . . .› Keine Anlagen. Kein Publikum. Bestenfalls ‹Leute›. Kinderfräulein aus besserem Haus, junge Männer im Modeblatt-Anzug mit verwegenem Schlips, Sonntagsliebespärchen Arm in Arm. Brillen-Mütterchen mit Handarbeitsknäuel auf den Bänken und alte Männer, die ihren Hunger nach Sommer und Luft stillen wollen, denn eigentlich ist es Juli.

– Und dergleichen nennt sich nun Hochsommer. Eine verrückt gewordene Jahreszeit ist das diesmal, und wenn es Dienstag, Mittwoch noch soundsoviel Grad im Schatten gibt und eine dick unterstrichene ‹Hitzewelle in Amerika› im Abendblatt: zum Wochenende, darauf könnte man wetten, kommt das ‹Tief›. Nun zieht der Himmel ein Gesicht, daß einem alle Lust vergeht, hier weiter umherzustrolchen. Und wenn ihr da drüben noch so viel angebt in euren duftigen Sonntagsausgehkleidern und den protzigen Panamas, ich könnte schwören, daß dies eben der zweite Regentropfen gewesen ist.

Regen. Natürlich. Paßt so richtig ins Programm.

Durch die leergewordene Neubausiedlung mit den lächerlich kleinen Häuserchen und dem Bürgermeister aus Bronze trödle ich mich allmählich heim.

Während ich den Mantel hinhänge zum Trocknen, fange ich an,

ganz intensiv an einen Kognak zu denken. Unfreundliche Bude, ich werde mir mal einen Tee ‹mit› machen. So. Jetzt noch eine Sonntagsausgabe, und das Glück wäre vollkommen. Gibt's aber nicht. Oben auf dem Regal döst noch eine uralte ‹Illustrierte›, die habe ich mir mal aufgehoben wegen einer dringend wichtigen Notiz. Längst vergessen. Nachdem das Kreuzworträtsel bis auf die letzte ‹Bezeichnung eines Gemütszustandes› gelöst ist, finde ich es ein ganz klein wenig langweilig.

Still ist das heute im Haus . . .

Keiner singt auf dem Hof. Noch nicht mal die Heilsarmee, obgleich die doch heute dran wäre. Unheimlich ist so eine Ruhe in einem Mietshaus. Kein Köter bläfft, kein Grammophon wimmert. Ja, nicht einmal Schwertfegers Mädchen grölt aus dem Küchenfenster: ‹. . . Abär nein, abär nein, sprach sie, ich küssäää nie . . . !›

Man könnte ja ein Buch lesen oder sonst was für seine Bildung tun. Man könnte vielleicht arbeiten, wenn man arbeiten könnte. Schön still ist das heute.

So, wie ich es mir schon immer mal gewünscht habe. – Na, kleine Klappermaschine, sollen wir? Ach was, wir lassen dir deine schwarze Wachstuchhaube und deinen Sonntagsfrieden. Mit dem Arbeiten wird das heute nichts. Und der Brief nach Edinburg wird ja doch nie mehr geschrieben werden.

Wie aufdringlich so ein angebrochener Sonntagnachmittag sein kann. Es sollte wenigstens mal einer an der Tür läuten, damit man merkt, daß man überhaupt noch da ist. Für wen surrt dieser verflixte Fahrstuhl andauernd, kommt ja doch keiner zu mir. Ekelhaftes, pedantisches Ticken, ich werde diesen Wecker doch noch mal an die Wand . . .

Ich möchte gern wo eingeladen sein bei braven Leuten mit geregelter Tageseinteilung und einem Programm für den Lebenslauf. Nein, lieber nicht . . .

Warum ist diese Woche wieder so grau heruntergerollt von der Kalenderspule. Muß das so sein? Vernuschelt man nun seine Zeit, oder hat das Glück bloß vergessen, seine Visitenkarte bei mir abzugeben? Warum verlieb ich mich immer in die ganz ausgeleierten Phrasen: ‹. . . fühlt sich nicht wohl in seinen vier Wänden› oder beispielsweise ‹es ist, um aus der Haut zu fahren›. Ach,

Blödsinn . . . Montag ist morgen. Montag. Aber bitte, noch nicht. Sonntag ist heute, ich hab es schriftlich, und wir werden mal runtergehen, nachsehen, ob das etwa immer noch regnet.

Punkt sieben ist es über der Telephonzelle drüben.

Ob ich den Jenssen doch noch anrufe? . . . Nein, ich rufe nicht an. Man kann so schön vor Litfaßsäulen stehen und tun, als ob man läse. ‹Schlüsselbund verloren› vielleicht oder: ‹Das gute Bier, die gute Musik›. Man kann sich auch die Ausverkaufsschaufenster im Warenhaus ansehen. Aber drüben im kleinen ‹Floh› geben sie tatsächlich noch einen alten Stummfilm mit der Garbo, als sie noch nicht ‹die Garbo› war. ‹Der Hauptfilm hat noch nicht begonnen›. Das ‹heitere Beiprogramm› und das Leben unserer gefiederten Freunde unter dem Vorwand ‹Kulturfilm› lasse ich über mich ergehen. Wenn es allzu schlimm wird, stecke ich zwei Pfefferminz auf einmal in den Mund. Roter Plüsch für siebzig Pfennig und lieber alter Filmstreifen, auf dem es regnet wie früher, wenn man heimlich von den unregelmäßigen Verben fort zu Harry Piel gelaufen war . . .

Und dann ist es mit einem Male neun. ENDE!!! steht mit Riesenbuchstaben auf der Leinwand, und ich bin entlassen.

Dunkel ist es draußen, von allen Ecken kommen die grellglühenden Augen der Autos auf mich zu, lumpige Taxis und noble Achtzylinder. Sonntagabendausgehzeit, einundzwanzig Uhr . . . Sommerpelze und schwarze Seide und grellweiße Waschlederne und rotgemalte Puppenlippen. Lacktäschchen und Achtfünfzig-Fähnchen aus dem Totalausverkauf. Lauter rosaseidene Beine und kostbares ‹Chanel› oder ‹Maiglöckchen› für einen Groschen aus dem U-Bahn-Automaten. Schicksale auf Maß gearbeitet und billige Konfektionsware. Ganz hoch oben auf dem Hoteldach läuft eine Lichtreklame spazieren: ‹. . . und abends in die Scala!› – Aber ich kümmere mich nicht darum, sondern laufe meinen Bayernring hinunter, und weil ich plötzlich Hunger verspüre, setze ich mich in das kleine Automatenbüfett und ziehe mir einen Heringssalat. Ein Photomaton haben sie in der Ecke, achtmal für eine Mark, bitte die Dame . . . Nein, ich blättere lieber in den Magazinen herum, ‹Sport› und ‹Film› und ‹Mode›, bis auf die Gastwirtsnachrichten, alles hübsch hintereinander, ich habe Zeit. Der Salat könnte schärfer sein. Ich lasse mir noch ein paar Zigaretten kommen, zahle und schiebe mich langsam hinaus.

Feucht glänzen die Trottoirs. Auf kleinen Pfützen schwimmt milchig das Licht der Bogenlampen. Aus einem Parterrefenster quäkt ein erkältetes Grammophon: ‹Auch du wirst mich einmaaal betrügän, auch du, auch duuu . . . !› So schwer ist die Luft. Vom Park her riecht es ganz sanft nach Linde und etwas Holunder, – aber das kann auch Einbildung sein. Blankgewaschen ist die Straße, von Dachrinnen klatscht ab und zu noch ein Tropfen auf den Asphalt. Ganz unmotiviert kommt ein blasses Viertel Mond aus den Wolken gekrochen und steigt den Häusern aufs Dach.

‹Auch du, ta ta tüta tatüta, auch duuuu . . .›

Ich werde die paar aufgegriffenen Takte nicht los. – Verflixte Melodie!

Ach, gehen wir ins Bett. Drehen uns auf die Schlafseite. Uns kann dieser Tag gestohlen bleiben. Heute ist Regen, und morgen fängt die Woche an.

Ein vertrödelter Sonntag, denke ich so im Eindämmern.

Ein vertrödelter Sonntag . . .

In den Regen . . .

Stehst du jetzt auch und trauerst in den Herbst
Vor nebelüberwölkten Fensterscheiben?
Gehst du jetzt auch verlassen durch den Park
Und läßt wie welkes Laub vom Wind dich treiben . . .

Hockst du jetzt auch bei müdem Lampenlicht
Und schreibst an den Papierkorb lange Briefe?
Horchst du wie ich, wenn draußen jemand spricht,
Und hoffst noch immer, daß dich einer riefe –

Kein Laut. Nur Regen tropft von Fensterbänken.
Was mich betrifft: ich fühl mich so allein.
Ich möchte meine Sumpfschildkröte sein
Und mich in tiefen Winterschlaf versenken.

Römisch Vier

VON REISE UND WANDERUNG

Einmal sollte man seine Siebensachen
Fortrollen aus diesen glatten Geleisen.
Man sollte sich aus dem Staube machen
Und früh am Morgen unbekannt verreisen.

Reisebekanntschaft

Gestern warst du noch Herr Schmidt für mich,
– Eine Nummer aus der Badeliste.

Heute aber lieb ich dich.

Als ich dich zum ersten Male küßte,
Wars, um einen anderen zu grüßen,
Dafür aber muß ich büßen,
Und zur Strafe lieb ich dich.

Gestern warst du mir ein Irgendwer,
Gestern morgen noch. Das waren Zeiten . . . !
Heut sind ohne dich Musik und Meer,
Wein und Landschaft Überflüssigkeiten.

Lohnt sich das, nichts andres mehr zu denken?
Frühstück, Mittag, Abendessen: Du.
– Schwindel ist's, daß *wir* das Herz verschenken.
Uns verschenkt es. Und wir sehen zu.

Wärst du wieder nur Herr Schmidt für mich!
(‹Viel zu dick. Kein Typ. Kommt nicht in Frage.›)
Aus. Vorbei. Nun quäl ich mich und frage:
Warum, bitte, lieb ich dich?

Morgen muß ich *doch* in Kottbus sein.
Wieder wird das Kursbuch Schicksal spielen.
Und ich fahr mit scheußlichen Gefühlen
Ohne dich in meine Welt hinein.

Schnellfoto: Marseille

‹Am Hafen *La Joliette*, da liegt unser Kutter,
Und morgen stechen wir in See.
Meine letzte Braut hieß Aimée
– Wie meine Mutter,
Und Mario, so hieß unser Kind . . .›

So plärrte die Alte zu ihrer Gitarre
In der Hafenkneipe von Marseille.
Das drang hinunter bis an den Quai.
Eine Stimme wie eine hölzerne Knarre
Tat unsern Ohren weh.

Da ging ein neuerdings anständiges Mädchen
bunt durch den Saal
Und verkaufte verbotene Karten.
Auf Bestellung würde sie auch warten.
Die Matrosen grinsten: Allemal!

Es gab einen sommersüdlich leuchtenden Tag . . .
Von *Notre Dame de la Garde* kam der zwölfte Schlag.
Alle Kellner deckten die Tische.
Und die Fremden hätten für ihr gutes Geld
Am liebsten Tintenfische
Oder Haifischflosse mit Mostrich bestellt.
Ein Mister ließ fünf Dutzend Muscheln holen.
Weil selbe im Reiseprospekt sehr empfohlen.

Die Gitarre zirpte mit falschem Gefühl.
Die Alte begann immer lauter und schneller,
Derweil in den abgeschlagenen Teller
Frischgewechselte Münze fiel.

Drüben aber, am Stammtisch der blauen Jungen,
Wo die Fremdenlegionäre verkehrten,
Die ein halbes Rind aus den Händen verzehrten,
Ging's anders her, als die Alte gesungen.
Da hingen die Messer locker im Griff.
Alle naslang: ein Polizistenpfiff!

Draußen blaute das Mittelmeer zwischen
segelumsponnenen Schiffen.
Die Sonne schien vorschriftsgemäß.
– Und alles im Preise miteinbegriffen . . .

Momentaufnahme: Paris

Das also bist du, Stadt der tausend Fabeln.
– Am *Gare du Nord* taucht Filmkulisse auf.
Noch bin ich fremd und denke in Vokabeln.
Paris, sei gut zu mir und tu dich auf!

Nun, heimwärts, fällst du mir im Dämmer ein:
Die großen Kirchen, winzigen Spelunken,
Der erste Café-crème, am Zinq getrunken,
Die Seine-Ufer im Laternenschein.

Ihr kleinen Mädchen auf den Métro-Bänken,
Du Strohhut-Cavalier mit Vorkriegsbart.
Doch muß ich auch der Miss im Louvre denken:
‹Oh, look this picture! Rembrandt? Very smart.›

Verschlafne Frühe in Montmartregassen,
Die Fensterkatze auf kariertem Bett,
Und morgengrau verlaßner *Bal musette*
Mit welkem Strauß und leergetrunknen Tassen . . .

Ich fand dich anders, als im Buch beschrieben.
Im Reiseführer fehlte das und dies.
– Doch zu den Millionen, die dich lieben,
Zähl bitte auch M. K. hinzu, Paris!

Kleiner Abstecher nach Marokko . . .

Sechs Uhr früh, haargenau, läuft die ‹Yokonda› in Ceuta ein. Zum ersten Frühstück wird uns der nordafrikanische Hafen serviert. Eine knappe Stunde verschlingen die Verhandlungen mit dem Schofför, der uns nach Tetuan, der spanisch-marokkanischen Hauptstadt, bringen soll. Dabei stellt sich heraus, daß der Jüngling aus Portugal, den wir uns vom Schiff als sozusagen ‹Dolmetscher› mitgenommen haben, nicht allzuviel von dem Gemurmel des braunen Wagenführers versteht. Gelingt es ihm, eine dem Portugiesischen verwandte Vokabel aufzuschnappen, dann nickt er begeistert und freut sich wie ein Tertianer. Mit den Erklärungen auf dem Wege nach Tetuan wird es also nichts.

Leicht und sicher fliegt der Wagen hügelauf.

Ab und zu leuchtet es hinter den Bergen kreideweiß, zackig ausgebogte Giebel, Dächer mit spitzengeklöppelter Küchenborte, die sich als die typisch maurische Meißelarbeit entpuppt, von der wir schon in Granada einen kleinen Vorschuß bekommen haben. Und da auf einmal: ein kleines, filigranzackiges Haus mit Miniatur-Kuppel, sicher eine Moschee . . . Unser Hamburger, der es seit Genua mit der Kunstgeschichte hat, schätzt zielsicher: «So zirka 13. Jahrhundert . . .» Bezaubernd, wie sich das marzipanfarbige kleine Haus von dem Blau des Himmels abhebt, äußern wir. Da hält der Wagen, und wir springen hinaus, die Sehenswürdigkeit zu beschnuppern. Denn so ist der Mensch, es genügt nicht, daß etwas nichts weiter als schön ist, nein, da steht der Oberlehrer in ihm auf und sagt, ha! du mußt auch was für deine Bildung tun.

– Wären wir hübsch brav weitergefahren, niemals hätten wir die unverschämte kleine Tafel an der Westwand der ‹Moschee› erlebt: *Central-Telefon-Station.*

Entzaubertes Afrika . . .

Inzwischen ist es sehr heiß geworden; der in Malaga erworbene ‹Sombrero› ist seine zwei Peseten wert. Oft noch kommen wir an verdächtig ‹moscheenhaft› anmutenden Kreidehäuschen mit Langetten-Scheiben vorüber, aber der Schofför weiß Bescheid, lächelt uns zu und gibt Gas . . . Das ist aber auch ein Bursche, unser Brauner, wir sind stolz auf ihn. Wir möchten ihm etwas Angenehmes sagen, vielleicht, daß er so wunderbar leicht und sicher fährt, oder sonst etwas Nettes. Aber, bitte, Portugal, wer kann Tetuanisch? Und so beschließen wir rasch etwas: wir klatschen in die Hände und rufen im Rhythmus dazu: «O-le, O-le, O-le!», wie wir es denen auf Mallorca abgeluchst haben. Auf die Gefahr hin, daß der Marokkaner uns für Irrenhaus-Entsprungene hält. Aber der versteht und schiebt sein schneeweißes Reklamegebiß zu einem vergnügten Grinsen vor.

Noch eine Viertelstunde durch graue Einöde, eine Kostprobe afrikanischer Wüste, und schon schimmert es kreidigweiß in der Ferne: die ersten Mauern von Tetuan.

Von der Hauptstraße wollen wir schweigen, an den Hotels mit Ansichtskartenfassade sausen wir auch rasch vorbei. Das letzte Stückchen Europa-Ableger hört hinter der Bar mit den bunten Lampions auf. Hier bedankt sich unser brauner Führer mit einem stilisierten «O-le, O-le, O-le!», das er anscheinend für einen uns geläufigen Ausdruck der Begeisterung hält, für das Trinkgeld.

Nun aber kommt das, worauf wir schon seit Wochen lauern: Ohne Übergang überfällt uns Afrika. Buntes Völkerpotpourri, weiße, ockerfarbige, Milchkaffee- und Mokka-Gesichter. Krummwinklige Gassen, die in rundbogige Tore münden. Vergessene Höfe mit uralten Brunnen aus maurischem Mittelalter. Lärm überfällt uns, Lachen, Schreien. Immer wieder kommen wir an verwahrlosten Hütten vorüber, vor denen die Alten kauern, die Pfeife im Mund, einen Berg von Baststreifen vor sich auf der Erde, die sie geschickt in Henkelkörbe verwandeln, an Ecken, vor denen eine Unzahl schwarzer Katzen Versammlung abhält, an Fleischständen, Treffpunkt sämtlicher Insektenarten Nordafrikas, bis wir in eine beängstigend schmale Gasse geraten, die, sich wie ein Fluß windend, in den Basar von Tetuan führt.

Auf ins marokkanische Kaufhaus! Lichtreklame gibt es nicht, auch keinen Livree-Portier. Aber immerhin: Achmed nimmt auch Papier-Mark! Für eine kleine Ledertasche fordert er die Schätze Arabiens. Du lehnst dankend ab und gehst weiter. Aber nicht allein. Achmed hat Ausdauer. Deine Abwehr fördert die Baisse, an jeder Straßenecke sinkt der Preis beträchtlich. «Uieviel? Uieviel geben?» tönt es an, auf, hinter, neben dir. Nennst du aber, diesen.

lästigen Begleiter abzuschütteln, einen lächerlichen Preis, dann sollst du marokkanisches Temperament kennenlernen! Wild fluchend verbirgt er seine Ware hinter dem Rücken und feuert dich an: «Gar nischt verkaufen. Nischt hundert Mark! Nischt tausend Mark . . .!» Dieser plötzliche Stolz schmilzt aber, sobald du tatsächlich den Basar verlassen willst. Psychologen und Diplomaten können gut einkaufen in Marokko.

Und es gibt allerhand zu kaufen auf dem Basar in Tetuan. Ein grellbunter Holzverschlag neben dem andern. Diese unappetitlichen gelben Flachsteine, das sind Brote, und das giftgrüne Zeug zwischen Wurst und Glasperlen ist jenes Pfefferminzkraut, nach dem es überall riecht. Die goldgestickten Sammetwesten sind unerschwinglich, dagegen muß man sich diese kleinen Fes-Käppi mit Troddel nah ansehen . . . Vor den ‹Geschäften›, mitten auf dem Markt, hocken Gestalten aus ‹Ali Baba und die vierzig Räuber›. In weißgewesenem Burnus, auf einer Matte vor sich ausgebreitet: gesalzene Nüsse, gepfefferte Bohnen, Riesentrauben, Paprikaschoten und die rosagrünen Früchte der Kakteen. Daneben stummverschleiert Araberfrauen, die in ihrer strengweißen Tracht entlaufenen Nonnen gleichen, inmitten einer Wiese von dunkelgrünen Kürbismelonen.

Inzwischen hat der Hamburger Reisegefährte genügend ‹Motive› in seinen Kodak hineingedreht, wir sitzen schon im Auto, das uns zum Hafen zurückführen soll. Wie von den Dächern gesprungen, stehen plötzlich die Händler um uns herum. Alle sind sie uns nachgekommen: Achmed, Ali, Mohammed. Braune Arme schieben sich durchs Wagenfenster, Bronzeleuchter, Tonvasen, Silberringe schlagen bedenklich hart an die Scheiben. Alles ist um die Hälfte des Preises zu haben, für ein Drittel, ein Fünftel, ein Zehntel . . .

Heimfahrt. Die Sonne gibt ihre letzten Restbestände an Strahlen her, und während hinter uns die Stadt Tetuan versinkt wie ein rascher Traum, packen wir unsere Beute aus: Der Herr aus Portugal hat entschieden das Reellste erworben, einen zart ziselierten Mauren-Degen aus blassem Silber. Der Schottin sitzt ein roter Fes wie ein schicker Hut auf dem Ohr, ganz schräg –, was vielleicht darauf zurückzuführen ist, daß sie seit Spanien immerfort diese

Korbflasche mit dem andalusischen Landwein herumschleppt. Der Musiker protzt mit dem handgeflochtenen Lederkissen, das entsetzlich nach Ziege riecht. Der Hamburger schleppt einen halben Basar mit nebst Sorgen um die Zollrevision, und ich schaukle einen kleinen Käfig auf den Knien, darin kriecht eine gelbgefleckte Schildkröte mit blankschwarzen Knopfaugen und einem Doppelpunkt als Nase. Bei dem guten Andalusischen, der es in sich hat, wird die Frage des Schildkröten-Namens diskutiert. Der historisch infizierte Hamburger ist für ‹Suleika›, ich finde ‹Agathe› für eine Kröte bei weitem schicklicher. ‹Abdul-Hamid›, ‹Tetuana› werden glatt abgelehnt. Der Pariser ist für ‹Madame›, was vielleicht nicht ganz von der Hand zu weisen ist. Bei der Ankunft im Hafen einigen wir uns schließlich auf ‹Suleika-Agathe›.

Aber ich werde sie wohl doch ‹Madame› nennen. – Zumindest an Feiertagen . . .

Abgangszeugnis für einen Freund

Du hast mir Pyramidon gegeben,
Wenn ich Kopfweh hatte.
Du packtest mein liederliches Alltagsleben
In zarte Watte.
Du hattest für jedes Wehweh
Einen Tee.
Und nun steigst du schon in den D-Zug-Wagen . . .
– Na, sagen wir mal: 'ne Eins in ‹Betragen›!

Du warst mir Freund und Kinderfrau,
Haushaltungsvorstand der Seele.
Und wenn es mal nottat, so brummtest du rauh:
«. . . Weil ich es dir eben befehle!!»
Du warst mir Beschützer und Weckeruhr
Und stets funktionierende Registratur.
Und nun ist das alles auf einmal vorbei.
– Für ‹Aufmerksamkeit› eine Eins bis Zwei!

Nun gibt kein Mensch mehr auf mich acht,
Und keiner fragt: «Wann ziehst du?»
Kein Mensch erwartet mich um Acht,
Und keiner sagt: «Na siehst du!»
Bald fehlt ohne dich meinem Schlendrian
Ein Eßlöffel Strenge als Baldrian.
Ach so ja, das Foto, bevor der Zug fährt,
– Und ‹Fleißzeugnis›? Sagen wir: ‹Lobenswert!›

Brief an eine Reisetante

. . . Nun ist es wieder mal so weit:
Ich habe meine Halswehzeit,
Und du bist in Sizilien.
Es tut mir in der Seele weh,
Wenn ich so einen D-Zug seh
Und Reise-Utensilien.

Ich danke dir für deinen Brief.
(Das Ansichtskarten-Kitschmotiv
Kann ich dir nie vergeben.)
Nun bitt ich dich so sehr ich kann,
Wenn du schon schreibst, auch dann und wann
Das Porto aufzukleben.

Zu Frage eins: Wie es mir geht,
Und wies um Möpschen Susi steht,
Erwidre ich beklommen:
Was mich betrifft, ich bin gesund.
Doch leider hat der liebe Hund
Zwei Kilo abgenommen.

Den Papagei Isolde wie
Die übrige Menagerie
Besorgt die Witwe Gabbert.
Der Kaktus welkt vor Einsamkeit.
Er scheint mir schon vom Zahn der Zeit
Ein bißchen angeknabbert.

Ich hüte treu und brav das Haus.
Heut ging die Köchin Lisbeth aus
Und nun herrscht tiefer Friede.
Zu Frage neun, (sehr indiskret)
Bemerke ich: von früh bis spät
Bin ich nichts als solide.

Ich opfre mich. Auf Ehrenwort!
‹Der brave Mann . . .› na, und so fort –
Sag ich in Schillers Namen.
Ich dudle mir das Radio an.
Wenn ich dann *noch* nicht schlafen kann,
Les ich moderne Dramen . . .

Du siehst laut diesem Kurzbericht,
Fromm füg ich mich der schweren Pflicht
Und übe mich im Büßen.
Du hast es gut und ichs im Hals . . .
Erhole dich! Nimm Biomalz!
Nebst meinen besten Grüßen.

Kurzer Epilog

Du hast mir bis zuletzt noch ‹Sie› gesagt
Und schwiegst per ‹du›. Ich lernte warten, leiden.
Du sahst mir zu. Und dann sprachst du vom Scheiden.
Ich habe nicht warum, wohin gefragt.

Du hörtest mich mit all den andern lachen,
Und wußtest wohl, daß mir an keinem lag.
Du sahst sie mich verwöhnen Tag um Tag,
Mir unerwünschte Komplimente machen.

Kein Wort aus deinem Mund. Du hattest Zeit . . .
Kein Ton aus meinem. Denn ich hatte Ehre.
Ich tat so kühl. – Ein Hauch von dir, ich wäre
Dir nachgefolgt in die Unendlichkeit.

Kein Sommer war wie jener groß und klar.
Wir haben ihn mit dummer Hand verschwendet.
Nun aber, da das Kinderspiel beendet,
Begreifen wir, daß es der letzte war.

Gleich als du fort warst, fing es an zu regnen.
– Ich wußte, daß ein Ende so beginnt.
Weil wir nie wieder denen begegnen,
Die für uns ausersehen sind.

INHALTSVERZEICHNIS

DAS LYRISCHE STENOGRAMMHEFT

KLEINES LESEBUCH FÜR GROSSE

Lyrik

«Wer Lyrik schreibt, ist verrückt!»
Peter Rühmkorf

Mascha Kaléko
Das lyrische Stenogrammheft
(rororo 1784)
«Nun, da du fort bist, scheint mir alles trübe.
Hätt' ich's geahnt, ich ließe dich nicht gehn.
Was wir vermissen, scheint uns immer schön.
Woran das liegen mag –. Ist das nun Liebe?»

Mascha Kaléko
Verse für Zeitgenossen
(rororo 4659)
«Ich bin, vor jenen ‹tausend Jahren›,
Viel in der Welt herumgefahren.
Schön war die Fremde; doch Ersatz.
Mein Heimweh hieß Savignyplatz.»

Peter Rühmkorf
Haltbar bis Ende 1999 *Gedichte*
(rororo 12115)
«Ein plebejischer Poet ist er, ein handfester Spaßmacher, ein Repräsentant und Verwalter des literarischen Untergrunds, ein Dichter der Gasse und der Masse, einer, der die Lyrik auf den Markt gebracht hat. Nur: er ist zugleich ein feinsinniger Ästhet, ein raffinierter Schöngeist, ein exquisiter Ironiker.» Marcel Reich-Ranicki

Peter Rühmkorf
Außer der Liebe nichts
Liebesgedichte
(rororo 5680)
«Dichter! schmeißt Eure Lyrik weg, der Rühmkorf kann's besser!» Jürgen Lodemann im Südwestfunk

rororo Literatur

Von Peter Rühmkorf sind außerdem lieferbar:

Der Hüter des Misthaufens
Aufgeklärte Märchen
(rororo 5841)

Die Jahre die Ihr kennt *Anfälle und Erinnerungen*
(rororo 5804)

Über das Volksvermögen
Exkurse in den literarischen Untergrund
(rororo 1180)

Strömungslehre I Poesie
(das neue buch 107)

Dreizehn deutsche Dichter
208 Seiten. Broschiert.

Einmalig wie wir alle *Gedichte*
168 Seiten. Broschiert.

Wer Lyrik schreibt, ist verrückt!
Gesammelte Gedichte
140 Seiten. Kartoniert.

Peter Rühmkorf / Michael Naura / Wolfgang Schlüter
Phönix voran! Mit Ton-Cassette
128 Seiten. Kartoniert.

3289/1

Bestseller

rororo **Bestseller** aus dem Belletristik- und Sachbuchprogramm auch in **großer Druckschrift.**

Marga Berck
Sommer in Lesmona
rororo Großdruck 105

Roald Dahl
Küßchen, Küßchen! *Elf ungewöhnliche Geschichten*
rororo Großdruck 110

Friedrich Christian Delius
Die Birnen von Ribbeck
Erzählung
rororo Großdruck 132

Elke Heidenreich
Kolonien der Liebe
Erzählungen
rororo Großdruck 119

Ernest Hemingway
Der alte Mann und das Meer
Roman
rororo Großdruck 106

Raymond Hull
Alles ist erreichbar *Erfolg kann man lernen*
rororo Großdruck 122

Mascha Kaléko
Verse für Zeitgenossen
rororo Großdruck 111

Christian Graf von Krockow
Die Deutschen in ihrem Jahrhundert *1890-1990*
rororo Großdruck 103

Peter Lauster
Die Liebe *Psychologie eines Phänomens*
rororo Großdruck 104

rororo Großdruck

Rosamunde Pilcher
Ende eines Sommers *Roman*
rororo Großdruck 134

Ruth Rendell
Durch das Tor zum Himmlischen Frieden
rororo Großdruck 115

Oliver Sacks
Der Tag, an dem mein Bein fortging
rororo Großdruck 107

Kate Sedley
Gefährliche Botschaft *Ein historischer Kriminalroman*
rororo Großdruck 116

Anne-Marie Tausch
Gespräche gegen die Angst
Krankheit – ein Weg zum Leben
rororo Großdruck 113

Ein Gesamtverzeichnis der Reihe *rororo Großdruck* finden Sie in der *Rowohlt Revue*. Jedes Vierteljahr neu. Kostenlos in Ihrer Buchhandlung.

3455/5